LE CHRIST DE BRIOUDE

DU MÊME AUTEUR

Nouvelles et romans

MATER EUROPA
Montréal, Cercle du Livre de France/Paris, Grasset 1968.
LE MANTEAU DE RUBÉN DARIO
Montréal, H.M.H., 1974.
LES PAYS ÉTRANGERS
Montréal, Leméac, 1982.
LE DÉSERT BLANC
Montréal, Leméac, 1986.
ENTRE TOUTES LES FEMMES
Montréal, Leméac, 1988.

Poésie

ASIES
Paris, Grasset, 1969.
PETITS POÈMES PRESQUE EN PROSE
Montréal, Leméac, 1984.
LE PRINCE DIEU
Montréal, Leméac, 1984.

Essais

EXILS
Montréal, Presses de l'Université de Montréal, 1965.
SIGNETS I et II
Montréal, Cercle du Livre de France, 1967.
SIGNETS III LA CONDITION QUÉBÉCOISE
Montréal, Cercle du Livre de France, 1973.
OZIAS LEDUC, dans *OZIAS LEDUC ET PAUL-ÉMILE BORDUAS*
Montréal, Presses de l'Université de Montréal, 1974.
DICTIONNAIRE DE MOI-MÊME
Montréal, Éditions La Presse, 1976, Leméac, 1987.
AUTOUR DE BORDUAS
Montréal, Presses de l'Université de Montréal, 1977.
VOYAGE D'HIVER
Montréal, Leméac, 1986.
FRAGMENTS D'UNE ENFANCE
Montréal, Leméac, 1989.

JEAN ÉTHIER-BLAIS

LE CHRIST DE BRIOUDE

nouvelles

LEMÉAC

La nouvelle *Le Divertissement* a paru dans Rencontres / Encuentros, Écrivains et artistes de l'Argentine et du Québec / Escritores y artistas de Argentina y Quebec, sous la direction de Marie José Thériault, Montréal, Éditions Sans Nom, 1989.

La nouvelle *Les Illusionnistes* a paru sous le titre *Le Grand Amour* dans le recueil *Crever l'écran*, sous la direction de Marcel Jean, Montréal, Éditions Quinze, 1986.

Maquette de la couverture : Claude Lafrance

ISBN 2-7609-3134-X

© Copyright Ottawa, 1990 par Leméac Éditeur Inc.
Dépôt légal — Bibliothèque nationale du Québec
4ᵉ trimestre

Imprimé au Canada

LES GENS DE PAPATSIDIAS

Il redressa sa haute stature. Au milieu de ses ouailles, il élevait volontiers les bras, ce qui le grandissait encore. Les manches de sa soutane voltigeaient autour de ses larges mains, que des générations de prêtres n'avaient pas affinées. Il donnait l'impression de dominer le monde, le nez en l'air, la barbe bien soignée, son cylindre noir et luisant enfoncé sur le front; et pourtant, son regard trahissait en lui une aspiration, une mélancolie. Cet homme noir avait l'œil pâle, translucide, des hommes du nord, de ceux qui, il y a des millénaires, étaient venus en Grèce avec leurs dieux sauvages. Les Hellènes avaient vite apprivoisé ces dieux de la terre, mais l'un d'eux, sautant des siècles, se retrouvait parfois dans l'errance bleutée d'un regard. Il s'était niché dans celui du pope Évanghelos qui n'y pouvait rien, sinon, parfois, essayer de durcir l'œil, de le rendre perçant. Peine perdue. Le petit dieu des steppes lointaines pétillait. Aujourd'hui, il dormait, cependant que le pope regardait sa ville.

Le pope Évanghelos sortit de l'église et regarda sa petite ville. Son village, aurait dit un observateur objectif. Pas le pope Évanghelos. Papatsidias était une ville en devenir. Autour de la Place de l'église, au centre de laquelle un olivier millénaire dodelinait du chef, les maisons multicolores se pressaient. Les couleurs des bougainvillées répondaient à celles des murs. Sur les escarpements, d'autres maisons s'éparpillaient, autour d'un hôtel qui desservait les touristes. Rares, les étrangers qui venaient à Papatsidias, en route vers le temple d'Athéna la Pacificatrice, perdu au loin dans les montagnes. Le pope Évanghelos n'avait jamais vu ce temple, sinon en carte postale. Il se disait, en souriant dans sa belle barbe, qu'il ne le verrait qu'à la tête d'une troupe solide de paroissiens, munis de pics et de pelles, pour la grande œuvre de vraie pacification. L'État socialiste dépensait des sommes folles afin de conserver ces vieilles colonnes. Athéna Pacificatrice! Le pope regarda ses souliers ferrés. Son église à lui, millénaire elle aussi, s'enfonçait dans le sol. Elle avait de plus en plus l'air d'une catacombe. Ni drachmes ni ceptas! Rien. Tout pour Athéna.

Il pensa un instant retourner dans l'église, s'agenouiller devant une icône, invoquer le patriarche Germain, celui qui a dit: «Le temps est le ciel terrestre.» De toutes celles qui ornaient sa modeste église, Évanghelos préférait l'icône de la Résurrection. Il y retrouvait le Kyrios, maître de la mort et de la vie. Surtout, il y voyait les murs de Jérusalem, ville perfide, plus grande qu'Athènes. Ces murs le ramenaient à Papatsidias, à ses maisons, à la permanence du Parti, éclairée toute la nuit, à son église qui s'enfonçait dans la pierre des Phédriades, inéluctablement. Il caressa sa croix pectorale et fixa le ciel pur, debout comme doit l'être un homme, et un prêtre. Derrière lui, dans la cour du presbytère, des cris d'enfants retentirent auxquels vint se mêler la voix virile d'Iréna. Un peu précipitamment, le pope Évanghelos dirigea ses pas vers la Place.

Il avança à longues enjambées, en direction de l'olivier et de sa zone d'ombre. Assis sur le banc qui entourait le tronc de l'ancêtre, il trouva le vieux Jérasimos, pensif.

— Bonjour, mon révérend.

Les salutations d'usage. Le père Évanghelos s'assit.

— Vous avez l'air soucieux.

Jérasimos soupira.

8

— Certains ont bien de la chance. J'aurais dû partir, moi aussi. Je serais riche. Prenez Photis. Il est parti il y a cinquante ans. Aujourd'hui, le voilà seigneur au Canada.

— Comment, seigneur? Et comment le sais-tu puisqu'il ne nous écrit jamais? On dirait qu'il n'a plus de parents à Papatsidias.

La voix du pope s'était faite sévère. Il toucha l'olivier, le prenant à témoin de la perfidie et de l'inconscience des humains.

— J'ai reçu une lettre de lui. Enfin, pas de lui, de son fils, avec des photos.

Le pope ne bougea pas, mais le lutin en son œil commença de s'aviver. Il se devait de rester impassible, d'attendre que Jérasimos mît la main dans sa poche. Ce qu'il fit et en sortit une épaisse enveloppe qu'il remit au pope. Une lettre écrite mi en grec, mi en anglais. Le pope Évanghelos eut du mal à contenir son courroux. À peine le dos tourné, ces gens oubliaient tout.

C'était un jeu de clichés de mariage. Une jeune femme forte, d'allure douce, vêtue de blanc, souriait au milieu de la photo: la mariée. Elle portait un énorme bouquet, son voile s'étendait à ses pieds, mêlé aux plis de sa traîne. C'était donc là la petite-nièce du vieux Jérasimos. À côté d'elle, le mari, de type spartiate, trapu, noir de poil, le nez fort, la bouche un peu tordue, vêtu d'un costume sombre aux revers luisants, arborant un nœud papillon de velours rose. Encadrant les mariés, des hommes bombant le torse, des femmes mûres en satin, d'autres plus jeunes, les épaules entourées de marabout blanc. Tout ce monde souriait, épanoui.

La mariée plut au pope Évanghelos. Les femmes du clan Jérasimos avaient toujours été de la main gauche, appétissantes. Il éleva la photographie et, de la droite, la bénit. Le vieux Jérasimos se découvrit et baissa la tête. Le geste du pope l'avait ému. Après tout, c'était à quoi servaient ces hommes, bénir à la naissance et à la mort, aux temps forts qui marquaient le passage de la vie. Lui aussi regarda le ciel qui lui parut favorable. Il se sentit bien, à son aise, aux côtés du prêtre, dans son village, avec les montagnes au loin, ses mains lourdes, sa vie de travail honnête derrière lui. Le prêtre continuait à regarder les photos, perdu dans une sorte de rêve. Les mariés et leur suite semblaient avoir fait une longue promenade, au milieu d'un jardin enchanté, aux pelouses immenses. Un cliché lui fit hocher la tête, tant cette nature était recueillie, intégrée à l'amour que se portaient, devant le Dieu ressuscité, les jeunes époux. On les avait photographiés au bord d'un étang où le ciel se mirait avec ses nuages paisibles, sous un saule dont les ramures trempaient dans l'eau. Que de fois le pope Évanghelos avait rêvé à ce paysage simple et doux, loin des montagnes tragiques qu'il aimait, il va sans dire, puisque son destin de prêtre se situait au milieu d'elles, mais qui souvent lui faisaient peur. Et si les dieux anciens ressurgissaient, s'ils renaissaient de ces massifs où ils avaient cherché refuge à la première apparition du Maître? Non! Non! ils ne reviendraient pas, ni Pan ni Athéna guerrière casquée, pacificatrice aux seins blancs. Il irait lui-même là-haut, quelque jour, guidant les peuples croyants, dévaster les derniers temples du mal. Chose certaine, jamais les faux dieux ne revivraient au milieu du décor dont il tenait dans sa main droite l'image reproduite sur carton plastifié. Les deux hommes restèrent ainsi un bon moment, dans le silence du village, le prêtre à regarder la photographie de deux jeunes inconnus, Jérasimos penché, les yeux au sol, attendant que le pope reprît la parole.

— Et dans la lettre, que disent-ils?

Le pope Évanghelos avait parlé par politesse.

— Ils disent que c'est leur jardin.

Évanghelos se redressa. Le jardin n'existait pas en vain! Il était synonyme de richesse, de générosité. Quiconque possédait un tel jardin n'hésiterait pas à venir en aide à l'église du village ancestral.

— Ils sont riches, donc?

— Sans doute.

Jérasimos redressa la tête avec une certaine fierté. Le pope et lui se turent, savourant cette découverte. On rehausserait l'église. Jérasimos, lui, mourait d'envie de rentrer à la maison faire part à sa femme de la conclusion qu'avait tirée le pope. Les photographies ne mentent pas.

— Voulez-vous voir la lettre, père?

Le pope Évanghelos déplia la lettre. À part quelques formules de politesse en grec, elle était écrite en anglais et signée d'un petit-neveu. Il déchiffra la phrase qui l'intéressait au premier chef: «Les photos ont été prises dans le jardin derrière la maison.»

— Voilà qui est clair. Jérasimos, vos parents ont un jardin qui ressemble à s'y méprendre à celui du Palais-Royal.

Jérasimos se rengorgea. Tiens! tiens! La vision de riches parents en Amérique tenta de se préciser dans son esprit et n'y parvint pas. Il ne savait tout simplement pas ce qu'était la richesse. Toute sa vie, il avait travaillé la terre; enfant, gardé les chèvres; adolescent, aidé les partisans dans la montagne; homme fait, épousé sa cousine, fait son devoir, sarclé, bêché, bu du vin épais avec ses amis, appris à porter son chapeau bien planté sur la tête. De riches cousins à Montréal (P.Q.) Canada! Qu'est-ce que cela pouvait bien signifier? Il bomba légèrement le torse, regarda le père. Pendant trois secondes, il ressembla au jeune marié.

Le pope sourit devant la naïveté de Jérasimos. Lui aussi se rengorgea. Heureusement que ces braves gens avaient un pope qui pouvait leur indiquer la marche à suivre!

Il commença à préciser sa pensée.

— Bien sûr, ce sont de vrais enfants de Papatsidias. Ils n'ont pas oublié la terre ancestrale puisqu'ils nous envoient leur photo et celle de leur jardin.

Jérasimos nota ce possessif.

— Peut-être pourraient-ils faire quelque chose pour la paroisse.

Tous deux regardèrent l'église. Aux yeux du père Évanghelos, son temple était le centre du monde. Il reproduisait la structure interne de l'univers, comme l'expliquerait tout livre savant. Petite, l'église était semblable au cosmos; sa coupole s'élevait vers le ciel; elle reposait solidement sur ses assises inférieures. Le pope aimait son église comme un père aime son enfant, comme un fils aime sa mère. Hélas! si elle reposait solidement sur ses bases, ces dernières avaient eu tendance, au cours des derniers siècles, à s'enfoncer dangereusement dans le sol, lentement, mais des architectes et des ingénieurs étaient venus, mandatés par l'État socialiste. «Mon révérend père, votre église fait partie du patrimoine national.» Le père Évanghelos avait compris. Et le patrimoine céleste, alors? Il ne s'agissait de rien moins que de... Le père Évanghelos préférait ne pas y penser. Heureusement, le Ministère manquait des sommes nécessaires. Les amis du Parti avaient les dents longues. «Si vous pouvez vous en occuper, vous-même, révérend père, nous vous enverrons un expert qui surveillera les travaux.» Voilà qui était beaucoup mieux. L'expert venu d'Athènes surveillerait les travaux, on le surveillerait, lui, et le père Évanghelos surveillerait le tout. Cette lettre venue de l'étranger allait tout régler. En son for intérieur, le père Évanghelos jubilait. Dieu n'avait pas oublié son peuple!

Au fond, il valait mieux que l'argent ne vînt pas d'Athènes. Qu'on le lui verse directement à lui, par mandat. Il éviterait ainsi l'intervention de l'État et surtout d'humiliantes rencontres avec les hiérarques du Parti.

Car le Parti veillait. Il avait pignon sur rue, ou plutôt sur la Place, d'où il pouvait surveiller les allées et venues de tout un chacun, y compris celles du père Évanghelos lui-même. Sans lui, sans son aide financière et (le père

Évanghelos tressaillit bibliquement devant ce mot) morale, il serait impossible de reconstruire l'église, d'en assurer les fondements. Depuis des mois, il se cassait la tête, à la recherche d'une solution. Rien. Il s'était rendu à Athènes. Le Patriarche, trop occupé, lui avait fermé sa porte. Il avait dû raconter le drame de sa vie quotidienne à un jeune prêtre, dont la barbe sentait la lavande. Il en aurait pleuré. Rien à faire. Et voilà que la Providence lui envoyait une réponse par le truchement de cet homme, Jérasimos, la plus humble des brebis de son troupeau. Des cousins d'Amérique; enfin, du Canada, mais c'était la même chose.

Il se rapprocha de Jérasimos et lui parla à l'oreille. L'esprit des catacombes l'animait.

— Il faut organiser quelque chose. Trouver l'un des nôtres qui puisse se rendre à Montréal, voir ta famille de plus près, convaincre tes parents. Il nous donneront la somme requise pour les travaux. Tu comprends, n'est-ce pas, Jérasimos? Une sainte obole, venue de ces contrées perdues.

— J'en parlerai à ma femme.

Prudence bien compréhensible. Le père Évanghelos ne prenait jamais de décision, lui non plus, sans avoir consulté Iréna. Le mariage est un sacrement d'unité. De la main, il tapota le genou de Jérasimos. L'affaire était dans le sac. La femme de Jérasimos était une paroissienne fidèle parmi les fidèles.

Les choses allèrent plus vite que le père Évanghelos ne l'eût cru dans ses moments de haute exaltation. Jérasimos expliqua tout à sa femme, dans le secret de l'oreiller. Celle-ci se rendit à Athènes, quelle équipée! Elle eut un long entretien avec une sienne cousine dont le fils venait de terminer ses études de médecine. Le garçon avait obtenu une bourse de voyage et d'études à l'Université de Boston. Rien de plus simple. Il se rendrait à Montréal à la première occasion et parlerait aux riches cousins. Il renouerait des liens qui, par-delà l'église,

13

projet louable en soi, ne pourraient qu'être utiles à la famille en général. Pourquoi, dès qu'ils arrivaient à l'étranger, les parents cessaient-ils d'écrire? L'océan, sans doute. La Méditerranée, c'est autre chose. Les deux femmes respirèrent en commun, filles du même ciel et des mêmes eaux.

Le jeune docteur rendit visite à Jérasimos et à sa femme, qui l'amenèrent au pope. Il fit à l'homme de Dieu une excellente impression. Le père Évanghelos se concevait volontiers comme un médecin de l'âme, par la prière et les sacrifices. Le docteur écouta attentivement les propos du prêtre. Il visita l'église avec recueillement, s'inclinant avec une jeune gravité devant les icônes. Y mettait-il même un peu d'affectation? Il avait le même regard verdâtre que le prêtre, qui crut y déceler une drôlerie. Le praticien serait-il homme ironique? Il avait les mains fermes et peu démonstratives. En somme, un excellent garçon, à qui le village pouvait faire confiance, de façon implicite. Le docteur saisit vite l'importance de l'enjeu.

Car le Parti veillait. L'œil de qui-vous-savez voyait tout, son oreille captait le moindre mouvement dans l'air. Les archontes s'étaient réunis, ils avaient écouté le responsable de la cellule de Papatsidias, ils avaient branlé du chef, accepté avec enthousiasme le rapport de leur conseiller démocratique. Une délégation s'était rendue dans la capitale, un comité l'avait reçue, d'autres dirigeants avaient branlé du chef et crié leur enthousiasme lorsque la direction avait fait connaître sa décision. Il fallait attendre, laisser ce freluquet se rendre aux États-Unis, prendre une décision à son retour. Alerter la cellule de Montréal, se renseigner, attendre, voir venir. L'église de Papatsidias valait-elle un pareil hourvari? Inutile de dire que cette décision démocratique allait dans le sens placide qui plaisait le plus aux membres du Parti de Papatsidias. Leurs délégués revinrent au village rayonnants d'enthousiasme, chantant les louanges de la direction collégiale responsable du culte. Et vive la démocratie!

Le docteur Paul Christidis (car c'était là le nom de l'émissaire) partit donc, muni du viatique essentiel, une bénédiction du père Évanghelos. Il devait tout expliquer de vive voix, là-bas. Pourquoi pas le téléphone, se disait Paul. Sans doute par crainte de l'oreille de Moscou. La demoiselle du téléphone, dans la ville voisine, qui téléguidait les appels, n'inspirait pas confiance. Il riait sous cape des extases du père Évanghelos, de ses roublardises, de sa passion de conspirateur. Déjà, il rêvait à la belle et jeune héritière qui l'attendait peut-être à Montréal, une Grecque de la diaspora. Ce serait le destin.

De Boston, il téléphona aux cousins de Jérasimos. Au bout du fil, des bruits de cuisine, de vaisselle qu'on range dans la machine. Une voix de jeune fille répondit. Paul décida de parler grec. La jeune fille répondit dans cette langue, mais avec un léger accent anglais. Paul se dit qu'elle devait parler grec à la maison, anglais partout ailleurs. C'était la coutume chez les Grecs de Boston. Il annonça sa venue. «On ira à votre rencontre» lui dit-elle.

À Dorval, un jeune homme l'attendait: «Toujours heureux de voir des gens du pays.»

La famille Palamas habitait avenue du Parc. «Nous sommes en plein quartier grec, comme chez nous, lui dit Alex. Quel bon vent vous amène?» Les Palamas ne comprenaient rien à ce visiteur qui leur tombait du ciel. Pourquoi? Quelle raison secrète? Sans doute une question d'argent. Les gens du pays avaient l'habitude, aussitôt après la guerre, de quémander, à propos de tout et de rien. Il faut dire que la pauvreté faisait rage en Grèce, avec la guerre civile, cet autre fléau. Mais depuis au moins vingt ans, cette pratique avait cessé. Les Grecs vivaient aussi bien en Grèce qu'à Montréal. Et puis, les liens s'étaient relâchés. Les parents étaient morts ou avaient suivi leur progéniture à l'étranger. La Grèce restait le pays, mais les enfants, dès la première génération, préféraient parler anglais, affichaient leur nouveau patriotisme. Leur rêve était de se fondre dans la minorité anglaise de Montréal, qui détenait le pouvoir, l'argent, les véritables honneurs. Entre eux, les parents parlaient démotique; aux enfants, anglais. «Je me retrouve à Boston», pensa Paul.

Ses lointains parents le reçurent admirablement. Il passa de l'un à l'autre, trop heureux, le soir, de poser sa tête sur l'oreiller. Il partageait la chambre des deux fils de la maison; on y avait dressé un lit de camp. L'aîné, Alex, entrerait en juin à l'internat du Royal Victoria Hospital. On le voyait à peine. «Toujours les études», soupirait sa mère, enchantée d'avoir un fils qui la soignerait au cours de sa dernière maladie. Le cadet, John, était aide-comptable à la municipalité. Il fit visiter le Vieux-Montréal à Paul, qui se rendit compte que Montréal, par certains aspects, était aussi une ville française. L'accent des Montréalais le surprit.

— Ce n'est rien, lui dit John; ils aiment surtout parler anglais et lorsqu'ils savent quelques mots de cette langue, ils les emploient à longueur de journée. Il faut dire que leur connaissance du français est sommaire. Il y a parmi eux quelques puristes, c'est-à-dire qui parlent français à peu près correctement; on se moque d'eux, quand on ne les traite pas de vieilles pédales.

Paul rougit et se félicita d'être né grec, dans un pays où l'on respectait depuis dix mille ans les valeurs du langage. John, lui, riait de ces curiosités autochtones. Paul lui fit remarquer qu'on avait parlé jusqu'en Grèce d'une révolution québécoise et d'un parti qui avait pris le pouvoir en promettant l'indépendance et la fierté. John rit encore plus fort.

— Il ne reste rien de tout cela. Leur chef avait une sorte de charisme mais ce n'était qu'illusion. Il fut roulé au finish par un autre Canadien français, ennemi farouche du Québec. Les gens aiment s'entre-déchirer. Du reste, tout cela est sans intérêt et se situe au niveau des luttes tribales.

«Nous nageons ici dans l'anthropologie. Il suffit d'ouvrir les yeux. Il ne leur manque que les osselets dans les narines. Avec ça, de remarquables hommes d'affaires et de brillants seconds.»

Paul comprit qu'il en savait assez et qu'il pouvait vivre à Montréal comme à Boston, quitte, si on s'adressait à lui en français, à se rappeler son vocabulaire d'écolier. En une semaine à Montréal, cela ne lui arriva jamais. À toutes fins pratiques, il n'avait pas quitté Boston. Après trois jours d'amusant vagabondage, il parla sérieusement au cousin Théodakis. Celui-ci partait chaque matin à heure fixe, muni d'un sandwich. Paul n'avait pu obtenir de renseignements précis sur son travail.

— Je suis concierge au High School de Verdun, lui avoua son cousin. Nous avons deviné pourquoi tu nous rendais visite, mais nous préférions que tu en parles, toi d'abord. On ne sait jamais, tu aurais pu venir par pure amitié. Le village veut quelque chose. De l'argent, bien sûr. Un hôpital? Un foyer de vieillards?

Paul dit, à voix presque basse: «L'église.»

— J'aurais dû m'en douter, dit le cousin en riant. Le père Évanghelos, toujours lui avec sa marmaille et ses idées de grandeur. Athéna Pacificatrice? Rien n'a donc changé. Rien ne changera jamais. Il soupira. Ici non plus, rien ne change, pour nous de la vieille génération. Nous attendons que nos enfants grandissent. Ta cousine et moi prendrons notre retraite, nous visiterons les amis là-bas. Ce qui en restera. Elle aura son manteau de vison. C'est elle qui a eu l'idée de la photo. Elle a voulu faire bonne impression sur les gens de Papatsidias. Qu'on nous croie riches au pays. Moi, cela me laisse indifférent, je suis ce que je suis et mes enfants seront ce qu'ils seront. Un médecin, un chef de contentieux. Je veux que John épouse la fille de son patron. Elle est française, peu importe, nous avons beaucoup de traits communs avec les Français d'ici. Parfois je regrette qu'ils ne s'affirment pas plus, nous nous entendrions. Mais que veux-tu, ce sont les Anglais qui ont le haut du pavé. Tu as vu Norma? Paul avait vu Norma. Elle était la préférée de son père, la prunelle de ses yeux noirs. Elle figurait en bonne place sur la photographie, puisqu'elle était la mariée. C'était une belle plante, dont le mari faisait dans l'immobilier, riche, encore jeune. Sur la photo, il exhibait un curieux sourire. Paul comprit pourquoi lorsqu'il se rendit compte que l'heureux possesseur des charmes de Norma (de son vrai nom, Catherine) ne se départissait jamais de son chewing-gum. Aucune exception, même le jour de ses noces. Norma était, à l'instar de ses frères, généreuse, faite pour l'amour et les grandes scènes (les frères, pour la violence et le sport). Elle n'avait pas quitté sa place chez Classy's. Ce fournisseur de vêtements d'occasion s'était spécialisé dans les mariages. Quelle ne fut pas la surprise de Paul lorsqu'il vit, dans la vitrine, la robe de noces de Norma. Elle lui expliqua qu'il en était toujours ainsi, ou presque. Elle n'enviait pas les mariées auxquelles les mères imposaient une robe maison. Mieux valait, et de beaucoup, Classy's. On était sûr de la qualité. On pouvait faire ajouter autant de volets qu'on le jugeait bon. La traîne et le voile étaient «extra», d'accord, mais les longueurs étaient variables et les initiales sur le voile étaient faites de sequins qu'on collait sur le tissu. Ainsi, sur son voile à elle, les initiales étaient de sequin doré pour son mari, d'argent pour son nom à elle. Paul se souvint qu'en effet, le voile avait fait l'admiration de la famille. Norma et son mari se tenaient enlacés au sommet de la butte, à l'ombre du saule, dans le miroitement de l'étang. Du côté du marié, les garçons d'honneur, en habit et nœud papillon de satin rose, suivis du page, lui aussi déguisé en valseur 1900; à gauche, avec la mariée, la protégeant jusqu'à ce que le moment soit venu de la livrer à l'homme, la dame et les demoiselles d'honneur, vêtues de satin mauve et coiffées d'immenses chapeaux de paille à rubans de satin, mauves il va sans dire. Au centre du groupe, le voile porteur du message d'union, les initiales du marié et de la mariée.

—J'ai tenu à ce que les lettres ressortent, dit Norma. Malheureusement, ma traîne ne paraît pas sur cette photo de groupe. Mais j'en ai une autre, où l'on nous voit, Chris et moi, de dos, marchant dans le jardin. Et là, ma traîne est à son avantage. Nous ne faisons que semblant de marcher et maman avait déployé tout le tissu afin qu'on voie bien les ruches en bordure. Je veux que mes enfants soient fiers de leur mère, le jour de son mariage.

Paul remarqua que Norma était déjà porteuse d'avenir. Il comprit alors que d'argent pour la restauration de l'église de Papatsidias, nenni. Elle continuerait à s'enfoncer dans le bloc des Phédriades, cependant qu'Athéna Pacificatrice, amie des socialistes, la narguerait de plus en plus effrontément dans le ciel.

Il rentra tout pensif chez les Palamas. D'une part, il souhaitait que les projets du père Évanghelos se réalisent, mais où trouver l'argent? D'autre part, il ne voulait pas que ses cousins perdent la face. Famille d'abord. Le sérieux et la modestie de son vieux cousin lui avaient plu. Il décida d'aborder le sujet directement avec lui. Pendant que Paul lui expliquait les tenants et aboutissants de sa mission, le concierge tint ses yeux fermés. Un sourire complice faisait frémir légèrement ses lèvres. À la fin de l'exposé, il se tut pendant ce qui parut à Paul une éternité.

—Je te félicite, dit-il enfin, tu es un brave garçon et je m'incline devant ton père. Je vois que tu le respectes comme tu nous respectes, nous qui sommes ses lointains parents. Tu sais penser et te taire, ce qui revient à dire que tu sais aussi quand prendre la parole. J'admire en toi l'amour que tu portes à tes aînés. Dieu te le rendra au centuple. Il sait comment. Voici ce que je te propose. Je m'humilierai. Je parlerai à mon tour à l'Ancien de notre paroisse. Il avisera.

19

Aussitôt dit, aussitôt fait. Le soir même, Paul vit arriver l'Ancien, qui était un homme dont le regard en imposait. Après les cérémonies d'usage, l'Ancien céda la parole à l'ambassadeur de Papatsidias. Paul n'épargna aucun détail. Il parla un peu de lui-même, pour se situer dans le décor. Il en vint vite aux faits précis, le pope, son église, le Parti, les visées socialistes sur l'église, Athéna Pacificatrice en arrière-plan, l'inertie collective, les craintes justifiées du père Évanghelos, la nécessité de conserver l'église au cœur même de la communauté chrétienne, la crainte de la pollution idéologique. En un mot, il traça une sorte de portrait de la Grèce moderne. Et pendant qu'il parlait, il sentait monter en lui la fougue du défenseur des traditions lointaines. Son présent était fait de ce passé. L'avenir serait fait de ces instants qu'il vivait, dans ce salon petit-bourgeois, dans une ville froide, s'adressant à deux hommes qui avaient oublié en partie ce que c'était que d'être Grec. Eux, l'Ancien et Théodakis, écoutaient cette voix et respiraient de nouveau l'air du pays. Ils connaissaient ces montagnes. Ils voyaient se dresser dans le ciel, au loin, sur son pic, comme une tache blanche, le Temple d'Athéna Pacificatrice. Dans l'église de Papatsidias, ils avaient prié, enfants et adolescents. La vie, la triste vie, les avait obligés à quitter le sol natal. Mais comment ce jeune homme, dont la voix se faisait si pressante, pouvait-il un instant croire qu'ils avaient oublié? Ils respiraient à fond l'odeur des sarments lorsqu'ils brûlent, ils avaient sur la langue le goût de la première olive du matin lorsqu'on trempe le pain dans l'huile, les lauriers roses et blancs leur fouettaient le visage dans le vent, que de nuages ils avaient vus, combien de fois n'avaient-ils pas couru dans la poussière des chemins, et pour ce qui est des ravins, et des dieux mutins qui s'y cachent, il valait mieux ne pas leur demander de donner un chiffre, ils en avaient trop traversés en riant et en chantant l'été, moroses sous la pluie froide de l'hiver. Ils échangèrent un regard et se virent tous deux sur la place avec le père Évanghelos, assis sous l'olivier millénaire, l'église comme neuve derrière eux. Ils sont quatre sur le banc, quatre, car Jérasimos est naturellement de la partie. Ni le père, ni l'un, ni l'autre, ni le quatrième ne parlent, heureux dans le silence de la chose faite.

Et la chose se fit ainsi.

L'Ancien réunit les aînés du quartier, hommes sérieux, ceux qui avaient su allier aux principes la dynamique de l'argent. Après peu de paroles et de nombreux silences, on décida d'envoyer à Papatsidias un architecte ingénieur qui pût en rapporter un devis. Le père Évanghelos s'en donna à cœur joie, se voyant déjà sur le chantier, les ouvriers, au son de sa voix, exhaussant le Temple. Le devis reçut l'acquiescement tacite de tous. Le père Évanghelos jubila. En trois ans, l'église fut rendue à sa splendeur première. Le père Évanghelos triompha.

Une nuit, un bruit se fit entendre dans les vallées. Nulle voix ne cria: «Le Grand Pan est mort», mais au matin, des paysans effarés se présentèrent à la mairie et apprirent au secrétaire que le temple d'Athéna Pacificatrice s'était à demi effondré. Des équipes de secours arrivèrent immédiatement d'Athènes, et le temple fut relevé, lui aussi. Mais il était tenu en place par une véritable forêt de poutres entremêlées formant un dessin géométrique. Le père Évanghelos s'en gaussa. Leur temple est en tutelle, disait-il, cependant que le nôtre s'élève et s'enrichit.

Il faisait allusion à une nouvelle icône qu'avait offerte à l'église de Papatsidias une donatrice anonyme. On peut l'admirer dans le vestibule, réfléchissant dans la pénombre la lumière diffuse des cierges. La technique en est traditionnelle (sans quoi le père Évanghelos lui eût opposé un refus catégorique) mais la tête de la Vierge est résolument moderne. Paul Christidis, lorsqu'il vient à Papatsidias en week-end, va toujours s'incliner en sou-

21

riant devant l'image sacrée. L'inclinaison est pour la Vierge et le sourire est pour la femme, dont les traits lui rappellent la florissante Norma et les falbalas de chez Classy's.

LES ILLUSIONNISTES

Alain Soret était un garçon entreprenant. Il avait vingt-cinq ans et avait tout fait. Enfant, il distribuait les journaux de la première Avenue à la douzième, entre la rue Masson et le boulevard Saint-Joseph. Il connaissait son monde. Il avait fréquenté toutes les écoles, classique, cours du soir en secrétariat (au milieu de copines effarouchées, dont il caressait la peau fraîche et dodue en leur récitant derrière l'oreille, là où les cheveux frisottent sur le cou blanc bleuté, des chansons de Bécaud, ô Alain!), jusqu'à des ateliers de mécanique. Une sorte de boulimie d'agir, d'apprendre, rien n'est inutile, on ne sait pas quand cela pourra vous servir. Et derrière cette agitation, une seule passion, la photo, le film, l'odeur du zinc, le miracle sans cesse renouvelé de la réalité qui prend forme, qui se répand peu à peu sur le papier. Une femme sourit, un vieux monsieur lit son journal au soleil, un chauffeur agonise avec de grands éclats de verre dans le crâne et le sang ruisselle partout. La vie. Il apprit vite à courir le cachet, jusque dans les réunions d'écrivains, au service du critique de quelque journal. «Alain, tu me photographies Céleste Bobinaud, de profil et les seins bien mis en valeur.» Alain y allait de l'angle mammaire, pendant que Céleste racontait comment elle échappait, au cours d'une poursuite effrénée, nue sur son cheval blanc, à l'ardeur de ses mille amants mongols et turgescents, eux chevauchant à cru. «Mes mille-z-amants» hurlait-elle. Alain, en bon élève qu'il avait été, tiqua au pluriel, le Rolleiflex prit une tangente imperceptible, il appuya. La photo fut admirable. Le sein de Céleste Bobinaud irradia sur le papier, dans le journal, frémissant légèrement comme une omelette baveuse qui va s'affaisser, prêt à faire éclater le polyester du chemisier, objet de la convoitise, pendant trente secondes, de millions de lecteurs québécois et mongols, la bouche ouverte et salivant pour la poésie.

Cette photo lui ouvrit les portes du journal à grand tirage, *La Droite gauchiste.* Il y fraya avec les hommes politiques. «Ce sont tous des minables, lui dit le rédacteur en chef. Il s'agit de les mettre en valeur, comme Céleste. La photo est faite pour cela.» Les politiciens adorèrent Alain. Il photographiait les borgnes de profil, les chauves de bas en haut. Ils se reconnaissaient dans ces photos où l'escroc aspirant à la magistrature avait toujours l'air d'un Caton. Alain rigolait, le rédacteur en chef lui confia le soin d'une équipe de film, histoire de meubler les archives du journal. Aux politiciens succédèrent les scènes de rue, les mariages de riches, la population honnête, les grosses femmes sur leur balcon, l'humanité qui vient se chauffer les mains un court instant au feu de la vie, qui s'agite et disparaît. Parfois le parti qui commanditait *La Droite gauchiste* utilisait un film d'Alain. Il accompagna un candidat dans une campagne électorale. L'adversaire fut élu. Le chef de cabinet du premier ministre téléphona à Alain. «Le patron aime ce que tu fais.» Alain avait trop vu d'entourloupettes pour changer de camp. Il avait à peine trente ans. Le rédacteur en chef l'augmenta et le chef de l'opposition alla jusqu'à lui serrer bien fort les deux épaules. Ce fut presque une accolade. Un adoubement. Les deux épaules, la droite et la gauche. Alain prit un air timide. «Mes couilles», pensa-t-il.

C'était un garçon sympathique, qui aimait la pellicule, les femmes, le rire, le whisky, dans cet ordre. Plutôt grand, il aimait courir tôt, le matin, au bord du fleuve, photographier la nature, les mêmes fleurs sous des angles différents, l'eau glauque, parfois une vache qui descendait vers la berge, le ciel. Au journal, il discutait avec son mentor, Soulières, vieux photographe qui claquait de la langue devant les réussites, se tassait devant les échecs. Ces virées nettoyaient Alain. Il avait des jambes d'athlète, le nez droit, le sourire facile, d'assez mauvaises dents qui grevaient son budget, des yeux éclatants de fraîcheur et les cheveux noirs. Rangé aussi. Il songeait sérieusement à se marier. Elle s'appelait Yolande. Elle était journaliste. Alain l'aimait d'une façon assez indolente, sûr de lui.

Un jour, le rédacteur en chef le sonna. Alain entra dans le bureau, la porte en était toujours ouverte. Maisonnier aurait été le sosie de Pierre Baillargeon, s'il n'avait pas eu la mine aimable, le rire sonore. Et généreux! Son crâne chauve luisait comme un Napoléon au soleil d'Austerlitz. Au contraire d'Alain, il avait des dents admirables qui lui donnaient l'air d'un bon requin.

— Mon vieux, tu t'y connais en monstres? Il y a une troupe de siamois et de nains qui nous arrive de Québec. Tu vas nous photographier ça. Archives, d'accord. Mais aussi un film utilisable comme exemple, comme symbole. Tout est prêt. Les nains acceptent, le contrat est signé. Demain, dix heures, à Notre-Dame-de-Grâce, devant l'Église des Dominicains. Un terrain vague. Vois Michault.

Alain vit Michault et le lendemain, à dix heures, l'équipe débarquait dans le terrain vague, Soulières le cameraman, ses deux acolytes, Alain pour jouer la mouche du coche et s'assurer que le seuil du médiocre ne soit pas dépassé (on l'appelait régisseur) et la scripte, en pantalon collant jaune, qui se faisait aller les fesses devant trente nains, siamois et simiesques qui avaient cet air ennuyé d'en avoir vu d'autres.

Mais ce n'étaient qu'apparences. Ils formaient une sorte de colonie, ayant toujours vécu entre eux. C'était leur première sortie dans le grand monde. Alain parlementa avec le chef. C'était entendu. Le chef des nains acceptait tout. Il avait une copie du contrat. Mais il ne regardait jamais Alain en face, les yeux rivés sur un autre membre de la troupe, à l'air hargneux, qui lui faisait de temps à autre un geste impérieux du revers de la main. Alain sentit que la fourmilière avait des ramifications obscures où il valait mieux ne pas s'aventurer. Entre eux, ces gens devaient se déchirer.

Il faisait un doux soleil de juillet. Bientôt les vacances. Les cloches de l'église se mirent à sonner. «On tourne», cria Alain à Soulières et la prise de vues commença. Tout se passa très bien. Le soleil et l'espoir de l'été rendirent l'équipe joyeuse. «Attention! avait dit Alain à la scripte, qui avait la langue serpentine, pas de remarques déplaisantes!» Chacun y mit du sien et la séance dura à peine une heure. Au début, les nains avaient l'air un peu compassé, mais l'atmosphère se détendit et devint presque heureuse lorsque le nain hargneux claqua des doigts, fit semblant d'esquisser un pas de danse et hop! la troupe se mit à virevolter, le chef le premier à sourire, les derrières ronds et protubérants à se projeter à droite, à gauche, en mesure, comme répondant à une musique que seuls les nains entendaient, sous l'œil assuré, narquois, du meneur de jeu. Alain, qui ne s'occupait que de l'ensemble, sentit sur lui les yeux du nain — le numéro deux? numéro un plutôt — et une immense lassitude soudain le gagna. Son esprit fit un effort pour s'évader vers l'infini. Hélas, il n'en avait pas l'habitude et les yeux d'Alain retrouvèrent ceux du meneur de jeu, «ironiques et sages, décidément», pensa le jeune homme, Numéro Un. «Partons, cria-t-il à ses camarades. Partons. Bientôt midi.» Sans doute l'urgence dans sa voix s'imposa-t-elle. En moins d'un quart d'heure, Soulières avait rangé son matériel. Il avait l'air fatigué. L'estafette du journal fut vite entourée et la dernière image qu'emporta Alain fut celle de ces visages plats dressés vers lui, de ces yeux porcins où brillait la lueur d'un surnaturel livide.

Il téléphona à Yolande. «Je passe la nuit chez toi. On dîne au Paris. On va au cinéma.» Elle refusa. Il dormit mal. À son chevet, il n'y avait que des livres de classe, sorte de talismans, épaves de ses années de collège. Il regretta de n'avoir pas acquis le goût de lire. Au hasard d'un classique Larousse, il lut: «L'œil humain n'est pas fait pour la pure clarté.» Il n'eut pas le courage de voir de qui était ce vers. Le regard du Numéro Un lui apparut et le suivit dans son sommeil.

Le lendemain, tôt au journal, vite au labo. «Alors, ce film?» Soulières avait remis la bande à un technicien et avait fait prévenir Alain qu'aujourd'hui il ne viendrait pas. Alain s'assit dans le petit studio et visionna. Soulières avait d'abord photographié le ciel, les nuages de ce matin d'été auxquels le soleil ajoutait des éclairs doux. Le fleuve invisible respirait sur la pellicule et de lointains appels de bateaux dominaient le tumulte de la ville. Dans le ciel pur, on devinait l'orage. «Pourtant, se dit Alain, il a fait beau toute la journée.» La caméra, dans un mouvement giratoire, rapetissait les maisons de brique, les fenêtres devenaient des fentes grotesques, les immeubles semblaient vaciller sur leur base. Un nain parut, l'air mortifié, son chapeau tyrolien sur l'oreille, les marguerites fanées. Une naine rajusta son corsage. Sa poitrine pleine fit monter le rouge au front d'Alain. La scène était triste et immobile, malgré les gestes. Soudain, à gauche, au fond, un claquement sec. Tiens, les doigts du Numéro Un. Les nains et les siamois s'agitèrent, sourirent, prirent vie. Soulières avait deviné ce changement dans l'air et sa caméra dansa, lui échappa en quelque sorte. Alain se souvint en effet que Soulières lui avait paru un peu frénétique, une sorte de Till l'Espiègle, très dominé par l'appareil. Il ferma les yeux. Quel métier! Les nains l'ennuyaient. Lorsqu'il les rouvrit, un visage le regardait, un visage comme il n'en avait jamais vu. Ce n'était pas la régularité des traits, ni l'harmonie des contours, ni même la profondeur et la douceur du regard. C'était l'ensemble, c'était tout.

— Jésus! cria-t-il.

Était-ce une invocation ou un blasphème? Alain était pétrifié; l'opérateur aussi qui avait arrêté le film sur cette image. Les noms se succédèrent dans l'esprit d'Alain: le saint suaire, Dürer, Léonard de Vinci vieux, son grand-père qu'il avait vu un soir regarder se coucher le soleil, des visages d'inconnus. Ce visage représentait tous les visages, il les contenait tous. L'opérateur s'approcha.

— Qui est-ce?

— Je ne sais pas. Soulières aurait dû l'empêcher de se mêler au groupe. Je n'ai pas fait attention.

— Jamais je n'ai vu ça.

La tête les fixait de son regard impénétrable et consolateur. Alain eut envie de pleurer. Ce visage lui promettait la vie et la vie viendrait. Alain aurait aimé entendre la voix de cet homme, l'écouter, suivre sa pensée, peu importe ce qu'il lui dirait.

— Et moi qui regrettais hier de ne pas aimer lire. Ce qu'il me dira vaudra mieux que tous les livres.

Il savait qu'il reverrait cet homme, dût-il le chercher jusqu'au sommet de l'Himalaya.

— Est-ce que tu le connais?

L'opérateur parlait d'un ton respectueux, solennel.

— Non, mon vieux.

— Il vaut mieux le trouver avant de montrer le film au patron.

Le projectionniste connaissait bien son Maisonnier, qui savait utiliser tous les êtres. Que ferait-il de celui-ci?

Alain se sentit responsable du destin de cet inconnu, dont les traits éclataient de conquête, de virilité, de compréhension de l'infini. Il vivait fortement cela, sans pouvoir l'exprimer. Comment l'aurait-il pu, alors que le mystère était devant lui?

— Fini! cria-t-il d'une voix rauque.

L'opérateur se précipita, remonta vers sa cabine, coupa. Le film reprit, dans la monotonie, devenue terrible, des fesses basses, des gros seins, des trognes. Alain ferma les yeux. L'inconnu ne reparut plus. Il n'avait pas à reparaître. Sa présence d'environ trente secondes avait suffi pour imposer sa physionomie et son message. Quel message? Alain aurait eu du mal à répondre. Un message, tous les messages.

La porte s'ouvrit. Des bruits de couloir et la voix de Maisonnier.

— Tiens, on rêve ici?

Il voyait parfaitement Alain comme hypnotisé dans son fauteuil. Il s'assit à côté de lui. «Quel journaliste! pensa Alain. Quel instinct !»

— Patron, j'ai quelque chose à vous montrer. Repasse le film, cria-t-il à l'opérateur.

Maisonnier regarda les nains sans rien dire. À l'apparition, il se redressa, sa main saisit l'avant-bras d'Alain et se crispa. Il claqua sèchement du pouce et du majeur de la main gauche. L'image se fixa. Il contempla en silence; au bout de ce qui parut une heure, il se leva en hochant la tête et sortit en faisait signe à Alain de le suivre. Il referma la porte de son bureau, ce qui ne s'était pour ainsi dire jamais vu au journal.

— Il me le faut. Aujourd'hui. Va me le chercher. À la télé, chaque soir, pour le Parti, pour le journal. Un pont d'or, s'il le faut. Où l'as-tu déniché? Malin! C'est encore plus fort de me le présenter comme ça, au milieu des nains. L'effet de contraste est extraordinaire. Toutes les femmes voteront pour nous. Histoire de percer son mystère.

— Et tous les hommes, Patron, si j'en juge par votre réaction et la mienne. Tout le monde votera pour nous, ou pour lui.

— Que veux-tu dire? Il a des ambitions politiques, ton poulain? Quel âge? Antécédents?

29

— Patron, je n'en sais pas plus que vous.

Alain expliqua. Maisonnier rugit. Le même jour, Alain et l'équipe recommençaient les prises de vues. Mais les nains n'étaient plus au complet. Ni le porte-parole ni le Numéro Un n'étaient là. L'inconnu ne se présenta pas non plus. Les nains étaient tous d'accord sur une chose, personne du dehors n'avait participé à l'émission de la veille. Retour de l'équipe le troisième jour. Cette fois-ci, les nains au grand complet, malgré la rage du porte-parole, vraisemblablement poussé par le Numéro Un. Jamais la troupe n'avait accepté qu'on la photographie. Dernière séance, contrat ou pas. Et pas d'animation. «Nous ne sommes pas des machines.» Un film genre photo de groupe. Alain et Soulières vérifièrent le placement, par ordre de grandeur, si on peut dire. L'inconnu se terrait. Mais comment un tel homme pouvait-il se terrer? En une demi-heure, tout fut terminé. Cette séance ne pouvait être qu'une formalité. Il faudrait que Maisonnier organise une chasse à l'homme.

Avant de partir, Alain serra la main du porte-parole.

— Merci, Monsieur, je crois que ça ira.

Le nain sourit poliment. Sans y penser, Alain offrit sa main au Numéro Un qui la prit et la serra, lui aussi le sourire aux lèvres. Il leva les yeux sur Alain qui vibra et ressentit cette profonde mélancolie d'être, cette insatisfaction qui étaient devenues chez lui, depuis deux jours, une seconde nature.

— Je vous ai vu quelque part, Monsieur, dit-il. Dans une réunion de famille? Comment vous appelez-vous?

— Godbout.

— Et moi, Soret. Mes ancêtres étaient suisses, ajouta-t-il, pour meubler le silence, s'affirmer en face de ce nain. Soret. Alain Soret.

— Tout le monde ici m'appelle Dupy. Mon vrai nom est Duplessis Godbout. C'est difficile à porter.

À sa façon de se nommer, Alain comprit que le nain était fier de son nom et qu'il le portait comme un homme.

— Deux premiers ministres. Ils rirent. C'est une forme de ralliement. Finie la guerre entre Québécois!

Le nain recula d'un pas. L'entretien était terminé. Maisonnier fut mécontent. On se mit en quête de l'inconnu, mais comment procéder sans dévoiler le secret de l'image? Toute la stratégie du patron reposait sur l'élément surprise.

Une semaine se passa ainsi. Le lundi suivant, Alain rencontra l'opérateur qui lui dit:

— Tes photos de l'inconnu, qu'est-ce que j'en fais?

— Aux Archives, en attendant mieux. Salut.

Il avait à peine tourné le dos, qu'Alain le rappela: «Pourquoi "tes photos"? Il n'y en a a qu'une.»

Pas du tout, dit l'opérateur. J'ai tout revisionné et l'inconnu reparaît dans deux films, le premier et le troisième. Il s'est glissé à la place d'un nain.

— C'est impossible.

— Impossible n'est pas français.

L'inconnu était bien là, à la place du Numéro Un. Comment avait-il pu faire ce tour de passe-passe? Ces gens se moquaient du journal. Duplessis Godbout! Alain aurait dû s'en douter, c'était une vaste rigolade de cirque à ses dépens.

Il retourna, seul, à Notre-Dame-de-Grâce. La troupe était à Brossard. Va pour Brossard.

— Je veux parler à Dupy.

Le nain le reçut dans sa tente, assis derrière son bureau, au milieu des comptes de la semaine.

— Non, pas de tour de passe-passe. Nous sommes des gens sérieux. Personne ne pourrait se glisser parmi nous sans mon aval.

Alain remarqua l'expression, ainsi que la qualité du langage.

—Voulez-vous m'accompagner au journal et visionner ces films avec nous?

— Bien sûr. Je termine ce dossier et je suis à vous.

Puisqu'il le faut. Dupy n'était pas aimable. Poli tout au plus. Ils montèrent dans la voiture d'Alain. Ils n'avaient rien à se dire. Arrivés au studio, ils visionnèrent en présence de Maisonnier et de Soulières. Dupy ne disait rien. L'inconnu? Il ne l'avait jamais vu et sa présence à l'écran ne semblait pas le toucher. Il demanda une cigarette, fuma pendant le visionnement des deuxième et troisième films. Il parut surpris qu'on attachât tant d'importance à cette substitution.

—Je n'y suis pas, c'est un autre qui a pris ma place.

Décidément, on en était à une impasse. Que faire? Soulières, d'instinct, se leva, prit sa caméra, descendit les quelques marches qui menaient à la scène et refilma le film en plein déroulement.

— Attendez-moi dans votre bureau, patron.

Une heure après, il les rappela et leur présenta le film du film. À la place du dieu fait homme, Dupy apparut. Personne n'y comprenait rien. Alain se disait que c'était un miracle.

— Pas plus étonnant que la fission nucléaire, mon vieux, dit Maisonnier, toujours maître de lui. Et le suaire de Turin? Et Hamlet avec sa philosophie? Je téléphone à Grumertz.

Grumertz était un vieux savant qui logeait sous les toits de l'Université McGill. D'où venait-il? Nul n'en savait rien, sinon que, chassé de Pologne par les Allemands, il avait fréquenté les laboratoires les plus huppés d'Europe, avait été l'ami d'Einstein et de Joliot-Curie. Grumertz, qui pensait physique et rêvait mathématiques, était venu à la photographie par l'astronomie. Il avait plongé son regard de voyant dans la tessiture ondulatoire du cosmos. Il riait aux éclats en lisant les équations einsteiniennes et le vieux sage de Princeton le lui rendait bien, car ils correspondaient ainsi et échangeaient des mots d'esprit et des anecdotes en formules. Chomsky avait voulu l'entretenir de ses théories syntaxiques, Grumertz rapporta à Einstein la réponse scatologique qu'il lui avait faite, dans une équation restée célèbre chez les doctes et qui fit rire Einstein pendant une semaine. Grumertz savait tout des filtres de lumière qui permettent aux objets de se reproduire et de faire revivre leur sensibilité. Il avait découvert la loi qui porte son nom; elle établit un rapport physique créateur entre la réalité biochimique du photographe et l'objet photographié, de telle sorte qu'à un certain niveau de perfection technique, un rapport vital totémique peut s'établir entre un certain photographe et un certain sujet. Il se fait une fusion de part et d'autre au niveau des rêves, des réflexions, des pulsions indéfinissables de l'être. Dans ces circonstances rarissimes, dit Grumertz, la photographie se dépasse et rejoint le tantrisme; l'homme peut infléchir, par les siennes propres, les ondes de l'univers.

Grumertz, un vieux monsieur propre et souriant, qui admirait tout, acquiesça volontiers à la requête de Maisonnier et se présenta le lendemain au journal. Il vit les trois films en présence de Maisonnier et d'Alain. Avec son accent polonais, il dit:

— Mais je ne vois ni le photographe ni... il hésita, ni sa victime.

Maisonnier fit appeler Soulières.

Grumertz ne parla plus qu'à lui et les deux hommes s'engagèrent dans une longue discussion à voix basse. Maisonnier fit signe à Alain d'intervenir. Grumertz se tourna vers lui et cria d'une voix de tête.

— Bas les pattes, cheune homme!

Cet ordre s'adressait aussi à Maisonnier.

— Je ne suis donc plus le maître chez moi, grommela-t-il.

Grumertz et Soulières terminèrent leur conciliabule une heure après.

— Maître chez soi, Monsieur, qui l'est? demanda
Grumertz. Dieu est-il le maître dans son cosmos? Ce qui
se passe ici est très dangereux. J'ai vu le contraire en
Bulgarie, il y a dix ans. Une jeune et belle photographe
transformait ses clients en monstres. J'ai tout expliqué à
Jouikov. La photographe a disparu. Que voulez-vous, on
ne peut pas tout permettre. Mais à Montréal en 1985, on
ne peut pas faire disparaître monsieur Soulières. Nous ne
sommes pas à Sofia. Un miracle photogénésique.
    Il aligna les chiffres et les lettres, dans un ordre qui
parut dément à Alain. Dément et beau, prenant forme à
mesure que le stylo se promenait sur la page que déroulait Cosinus. Grumertz fronçait les sourcils, se reprenait,
enfin sourit.
    — Et voilà! dit-il. Il reprit son chapeau et ses gants et
voulut partir.
    — Mais je ne comprends rien à tout ça, dit Maison-
nier.
    — En clair, dit Grumertz, monsieur Soulières et son
sujet ont établi dans l'espace, dans la matière, ou la non-
matière, comme vous voudrez, ou dans le mouvement
transmissif, je ne veux pas m'étendre là-dessus, un lien
dont l'appareil de photo que manipule monsieur Soulie-
res en grand artiste, et en inspiré, est le déclic. Ils
s'appellent l'un l'autre au niveau de la Création. Et par
Création, monsieur Maisonnier, je veux dire la Schœpfung
gœthéenne, ce non-instant où tout a commencé à être,
où le non-instant s'abolit. C'est clair, n'est-ce pas? Le
cosmos crée indéfiniment et à tous les niveaux. Monsieur
Soulières, lui, crée dans l'immédiat et son acte créateur
ne s'exerce que sur celui qu'il transforme, par je ne sais
quelle alchimie des ondes, en personnage quasi surnaturel. Il aurait pu ne jamais le rencontrer. Il l'a trouvé sur
son chemin. C'est un fait. Chaque fois que son appareil
de photographie saisit cet objectif particulier, qui est en
l'espèce un autre être humain, le monde de la lumière
déroge à ses lois inflexibles, vous le savez comme moi,

34

monsieur Maisonnier. Inflexibles et pourtant miraculeusement flexibles. Ces deux êtres se répondent dans la transfiguration de la matière. Mais attention! Monsieur Soulières transforme un être laid, monstrueux même si l'on en croit nos critères, en ange des lumières. Mais il ne le transforme que physiquement. Il transmet à la matière les immenses possibilités qui sont en lui. C'est pourquoi il fait d'un homme laid un homme idéalement beau. C'est son rêve. L'esprit est plus fort que la matière. Mais il n'ajoute ni n'enlève rien aux forces spirituelles qui se trouvent en ce monstre qu'il a photographié. Est-ce un sage? Parfait comme il est devenu dans son corps, je le souhaite pour nous tous.

Grumertz portait toujours son chapeau à la main, d'une façon cérémonieuse. Il souriait même. Il ajouta:

— L'univers est malade, Monsieur Maisonnier. Nous nous en doutions, jusqu'à l'incident bulgare, qui est venu transformer nos doutes en certitude. Les sages d'autrefois le disaient. Tout est lumière. Je sais maintenant, de science certaine, que la lumière elle-même est atteinte. Elle est désorientée. Monsieur Soulières, j'aimerais vous revoir, et que vous me teniez, si possible, au courant de tout.

Il partit.

— C'est un vieux fou, dit Maisonnier. Quoi qu'il en soit, Soulières, je t'augmente. Passe à la caisse demain, tu auras une surprise.

Alain toussota.

— Toi aussi, lui dit Maisonnier en riant, je suis bon prince. À une condition. J'exige le silence le plus total. Et le journal a tous les droits, C'est dans ton contrat, Soulières, ne l'oublie pas. Et l'éthique professionnelle, cela existe, non?

Maisonnier se donnait quinze jours de répit. Il le savait. Agir vite. Le soir même, il se rendit chez le trésorier du Parti. L'affaire était trop importante pour que les hommes politiques dont il faisait l'éloge dans sa prose fussent consultés. Vite à l'essentiel. Nouveau visionnement en présence du grand argentier, les bobines désormais dans le coffre-fort de Maisonnier. Trois jours après, Dupy revint au journal, mais cette fois-ci, dans une Lincoln Continental fermée, celle des VIP du Parti, «le Char sacré», disait Maisonnier. Alain le conduisit à l'appartement d'honneur, au 31e étage de l'immeuble qui abritait les services de *La Droite gauchiste,* ceux du Parti, ainsi que d'innombrables agences à la remorque de la politique et qui attendaient que le Parti l'emporte pour remplacer leurs rivales dans les contrats et les prébendes.

Le nain s'installa et fuma un cigare.

— Le «fun» commence, se dit Alain.

Dès sa première visite au journal, Dupy avait compris qu'il se passait quelque chose. Non pas d'insolite, mais d'important, un maelström dont il était le centre. Personne ne connaissait Dupy. Lui connaissait les hommes. Dans le milieu des nains, du cirque, où règnent la cruauté animale comme la course aux étoiles, où seuls la volonté farouche, le travail permettent de s'imposer, on craignait Dupy, son calme olympien, sa dureté sans faille, ses silences, sa manie du secret et de tout diriger. Au contraire d'Alain, il lisait, mais non pas tout. Il lisait afin de durcir son cerveau, enrichir la pratique de son intelligence. Son rêve était de diriger le cirque qui l'employait. Les frères Numbra, qui en étaient les propriétaires, lui avaient déjà confié, en sous-traitance, la section des nains et autres curiosités de la nature. «Il a les yeux plus grands que la panse», disaient les Numbra, mais ils le consultaient. Dupy, né à Saint-Georges-de-Beauce, dans une famille de paysans qui avait donné à l'Église un évêque et au Québec un huissier à la verge noire, connaissait la matière même dont est fait le peuple québécois. Il était nain. Bon. «On peut tirer le maximum de tout», se disait-il. Quel était le maximum d'un nain? Directeur de Numbra! Voilà que cette histoire de film lui laissait entrevoir que Numbra pouvait bien n'être que peu de chose.

Il s'était immédiatement reconnu. Sa taille lui fut utile pour masquer ses sentiments, rencogné dans le grand fauteuil. Il respira profondément et demanda une cigarette. Il joua les imbéciles, ce qui devait paraître naturel, il le savait, à Maisonnier et à ses braves. Il ne savait rien, sinon qu'il avait besoin de quelques jours pour réfléchir. Ses camarades commençaient à en avoir assez de Notre-Dame-de-Grâce et de Brossard. Ils tournaient en rond. Dupy rongeait son frein.

Lorsque la Lincoln Continental s'arrêta devant les caravanes, il sut qu'il avait gagné. Les nains l'entourèrent. Que se passait-il? «Un contrat». Ils retournèrent à leurs habitudes, car ils lui faisaient confiance. La volonté d'affirmation qui suscitait la crainte inspirait aussi une sorte d'admiration, comme un charme.

Maisonnier, Alain et un troisième larron, costume luisant et cheveux en brosse, s'avancèrent. Il les reçut poliment, avec réserve. La discussion s'engagea. Maisonnier expliqua les mystères de la photogénésie. L'homme radieux auquel il faudrait trouver un nom, c'était lui. Le Parti avait l'intention d'inonder le Québec de films de propagande, mais une propagande vraie, dont il serait à la fois le personnage principal et l'orateur.

— Une sorte de Cicéron québécois, ajouta Maisonnier en se rengorgeant, car il avait été novice chez les Jésuites et en avait gardé un vernis de culture très Sault-au-Récollet.

— Pour me faire trancher la tête? demanda Dupy.

Les veines du front de Maisonnier faillirent éclater. Un nain, ça? Attention, mon petit, vas-y doucement, il y a des griffes dans le décor. Il sourit.

— Tu connais...

Dupy le regarda.

—Vous connaissez Guy de Fontgalland Bloomfield.
C'est le trésorier du Parti. Il a apporté le contrat.

Dupy tendit la main, prit la chemise de papier rose
que tenait Guy de F. Bloomfield et la glissa dans un
dossier à sa gauche, sur la table. Il opinait du chef.
«Quel âge peut-il bien avoir?» se demandait Alain. Il
admirait le comportement de Dupy et, d'une certaine
façon, souhaitait qu'il l'emporte sur les requins. Guy de
F. lui aussi regardait attentivement Dupy. Chacun savait
que le Parti avait perdu de son audience auprès des
électeurs. Le mot balai, prononcé coup de balai, revenait
souvent dans les conversations des bailleurs de fonds. Le
chef de l'opposition se perdait dans les brumes et son
image télévisée donnait le frisson. Son état-major était
insignifiant. Il fallait frapper un grand coup. L'idée de
Maisonnier n'était pas bête et l'image de Dupy convain-
crait tous les argentiers. Il avait l'habitude des décisions
calmes, qui terminent une conversation et lui donnent
son tour. Ce Dupy lirait le contrat. Il agit comme si tout
était réglé. Les conditions proposées étaient généreuses.
Guy de F. pensa au public.

—Vous serez entouré de conseillers en communication. Ils décideront de tout, comme pour le chef de
l'opposition, maquillage, costumes, attitudes, élocution,
éclairage, nom.

—J'ai un nom. Je m'appelle Duplessis Godbout.

—Nous verrons tout cela de plus près.

Guy de F. sourit. Le sourire est la clé de la réussite en
affaires. Enfin, l'une des clés.

Dupy se leva. L'entretien était terminé.

—Je vous appelle? dit Maisonnier. Vous m'appelez?

Du menton, Dupy désigna Alain.

—J'appellerai celui-là. Il vous transmettra ma réponse.

Il ne serra pas les mains.

Dans la voiture, Guy de F. fronça les sourcils.

— Ce n'est pas du tout cuit, mon vieux, dit-il à Maisonnier. Tu as peut-être été trop pressé de donner des augmentations.

— N'oubliez pas que Soulières...

— Oui, oui, je sais.

«Il sait surtout, pensa Maisonnier, que si ça continue, on va le faire sauter! Finis, coupés, les cordons de la bourse!»

Quarante-huit heures après, Dupy convoqua Alain et lui remit le contrat revu et corrigé. Coup de massue sur les requins. Il exigeait le secret le plus absolu sur ses origines. Seul le nouveau Duplessis Godbout devait exister; après tout, ce n'était qu'un nom qui ne correspondrait désormais à aucune image connue. Pour le reste, la haute main sur tout. Il acceptait volontiers la création d'un conseil, mais auquel il n'aurait pas affaire personnellement. Son intermédiaire serait Alain. Il était prêt à participer à la fabrication de films, qu'on projetterait dans les salles du Québec, manœuvre purement politique, en attendant la télévision. Après trois courts métrages, on verrait, il ne voulait s'engager à rien de plus. Un mois de sa vie. Il y aurait ou n'y aurait pas de suites. Les conditions financières étaient draconiennes. Au Parti de choisir.

Effondrés, Guy de F., Maisonnier et les archontes, à qui on avait présenté l'Image, acceptèrent. «Vous nous mettez le couteau sur la gorge, on se croirait revenu à l'époque de Mackenzie King», dit un vieux sénateur. Mais que faire d'autre? La Lincoln Continental revint donc chargée de son précieux butin et Dupy alluma son cigare, les yeux au plafond.

Soulières photographia Dupy sous tous les angles. Il le créait à mesure, emporté par une sorte de passion. Dupy, dont le pouvoir de concentration émerveillait Alain, se plia à toutes les exigences du photographe. Il apprit à intégrer son texte dans la mimique réglée comme un ballet. Le texte? Il hocha d'abord la tête. C'étaient des lieux communs sur le travail, «nos Montagnes Rocheuses», l'avenir du Québec dans un Canada plus fort, les avantages du bilinguisme, la grandeur de la constitution britannique, la corruption des autres par le pouvoir. Dites par lui, ces rengaines crevaient l'écran, devenaient la vérité.

— Le problème n'est pas là, dit-il à Alain. Pour faire de lui un homme nouveau, il faudra déraciner l'homme d'ici. Seul un thaumaturge...

Le premier film de la nouvelle série parut dans un festival du film politique. Le décor était d'une simplicité évangélique. Un cabinet de travail, dont le plafond était constellé d'étoiles, Dupy en gros plan et la salle tout entière frémit. Par un extraordinaire hasard, la sonorisation manqua et plus de la moitié du film se déroula dans un silence religieux. Dupy récitait son texte, mais à chacun des spectateurs, ses yeux, sa bouche, ses mains, le mouvement des sourcils, ce sourire disaient quelque chose d'indéfinissable qui le troublait dans les profondeurs de l'être. L'amour? La foi? Le bonheur? La certitude enfin de vivre? La fierté d'être? Dieu? Lorsqu'à la fin du film le sigle — d'habitude honni — du parti de *La Droite gauchiste* parut, on applaudit. Maisonnier et Guy de F. avaient gagné. La présentation du second film leur coûta une fortune. Ni plus ni moins qu'avec un film de Depardieu. Alain en faisait des cauchemars. Quel risque! Pas du tout. La salle de la Place des Arts succomba. On eut l'impression que l'écran géant était trop petit pour contenir cette image. Le lendemain, dans un bloc-notes du quotidien *Le Sçavoir*, le directeur écrivain, sous son pseudonyme Castelgandolfo, s'interrogea: «On se demande parfois si Dieu — le Dieu des savants — n'est pas devenu plus petit que son univers.»

«Qu'est-ce que ça veut dire?» demanda Dupy. Peu importait. Le ton était donné. Ce fut du délire. Mais un délire sérieux, avec en arrière-plan un je ne sais quoi de méditatif qui frappa tous les observateurs. Le nom même de l'officiant (car vite on compara les prestations de Dupy à une messe) devint un symbole de rassemblement. Le dernier film fut même présenté sans qu'on rechignât par le *Rassemblement de La Droite gauchiste*. Le seul qui se permit la moindre critique fut Dupy. «Ne cédons pas à l'euphorie, dit-il. Un peuple qui croit à ce point aux images...» Tout son passé à Saint-Georges-de-Beauce lui revint à la mémoire. Il n'oubliait jamais qu'il était un nain et qu'à ce titre il avait un compte à régler avec l'inévitable. Il se revit dans les rues de la ville, allant à la poste, il retrouva les regards. La nain à Godbout. Les enfants des écoles le suivaient en criant: «Duplessis ah! ah!» Il avait appris à ne pas pleurer, à passer son chemin comme on apprend à éviter les chiens. «Race de chiens!» pensa-t-il. Il sentait monter en lui une haine qui jamais ne passerait. L'heure de la vengeance s'apprêtait à sonner. Peut-être allait-il les tenir, avec leur Guy de F. et les autres. Peut-être. Non. C'était chose certaine. Guy de F. Bloomfield lui parlait déjà de renouveler le contrat. L'argent comprend tout et Guy de F. avait compris que le message, c'était Dupy et rien que lui. Il se demandait seulement si Dupy, lui, avait pris conscience de cette réalité de la communication. Il lui paraissait calme, au-dessus de tout cela, indifférent en somme. Mais attention, il avait aussi paru se soucier peu du premier contrat et voyez ce que ce mépris avait donné!

La foule, les médias commençaient à réclamer Duplessis Godbout. Que faire? «Rien, répondit l'intéressé. Moins on me connaîtra, plus mon mystère sera celui de la masse des voyeurs.» Il en avait longuement discuté avec Alain; un peu avec Soulières, dont il était devenu, par la pénétration de l'intelligence, le maître. Malgré la théorie de Grumertz, c'est lui, Dupy, qui était parti à la recherche de son créateur. Par la force de sa personnalité, il avait trouvé Soulières. Le photographe avait répondu à l'appel souverain qu'il lui avait lancé. Leurs ondes concordaient, bien sûr, elles apprenaient même à se fondre de plus en plus les unes dans les autres. Mais Soulières avait un besoin vital de Dupy. Il fut le premier à l'appeler Patron. Lorsqu'ils l'entendirent parler du patron, Maisonnier crut qu'il s'agissait de lui; Guy de F. pensa au chef de l'opposition. Soulières les détrompa, sans s'excuser. Pour lui, c'était là chose acquise.

— Depuis un demi-siècle, dit Dupy, les gens regardent la télévision. Ils vont au cinéma depuis presque un siècle. Le regard de l'homme occidental est hypertrophié. Il commande et moi, par un hasard miraculeux, je commande au regard. Et ce regard, à qui appartient-il? Au peuple le plus crédule d'Europe et d'Amérique, à celui qui craint le plus d'avoir à affirmer sa personnalité, à celui qui a le mieux appris à obéir sous l'insulte. Grande gueule, bien sûr, une grosse molle tablette, mais regard soumis encore plus. La grande gueule, c'est moi, le regard d'obéissance, ce sera... eux !

— Vous méprisez, dit Alain.

— Si tu veux. Mais ce genre de vocabulaire ne me dit rien qui vaille. Je constate, j'analyse, je tire des conclusions.

— Et quelle conclusion tirerez-vous à la fin du mois? On vous donnera tout ce que vous voudrez.

— Nous verrons. J'ai déjà tout.

Il disait vrai. Sa photo était partout, à prix d'or. Le chef de l'opposition l'arborait sur son revers, le sourire tremblotant devant les journalistes.

— Quel engouement, mon cher Dupy, lui dit Maisonnier.

— Je ne crois pas que ce soit un engouement, répondit Duplessis Godbout, c'est une réponse, et il y en aura d'autres, à un besoin.

Il vivait en reclus dans l'appartement de fonction du *Rassemblement de La Droite gauchiste*, lisant, apprenant ses textes, répétant avec Soulières, peaufinant sa troisième émission. Pourrait-il maintenir le crescendo? Comme toujours, la réponse vint de Dupy: «Il n'y a pas de crescendo.»

On se rendit compte qu'il disait vrai. Sa présence était soutenue; comme une respiration, il remplissait la poitrine des spectateurs. Un philtre. Inutile du reste de s'étendre sur cette possession, on en connaît d'innombrables. Roosevelt charmait les Américains de sa voix melliflue, au coin du feu, par le truchement de la radio. Il conquit son peuple par l'oreille. Hitler envoûta les Allemands et les germanophiles par son verbe impérieux et la projection d'une personnalité runique. Staline répandit la terreur par l'amour, dans le secret des coupoles. Duplessis Godbout répondait à un besoin séculaire de la nation québécoise. Le grand homme! L'homme providentiel !

— Vous ne pourrez pas durer, lui dit Alain, dûment chapitré par Maisonnier. Il faudra qu'un jour, vous vous montriez. Et lorsqu'on saura qui vous êtes...

— Un nain? Bien sûr, je suis, d'une certaine façon, entre les mains de mon équipe. Attendons la fin du contrat. Si rien n'a filtré de ce que je suis, c'est que vous êtes des hommes sérieux. L'ennui serait que je finisse par représenter le Parti lui-même.

— Maisonnier pense comme vous.

Non seulement Maisonnier, mais Guy de F., mais les membres du cabinet fantôme, les députés, les bailleurs de fonds, les journalistes, le chef de l'opposition. On ne pouvait se défaire de cette Image inconnue. Chasser Dupy? Il irait ailleurs. Peut-être fondrait-il son propre parti? Le noyau dirigeant ne voulait pas révéler le secret de son origine. Ce serait ameuter les populations, se couvrir de ridicule et de déshonneur. Guy de F. sourit en entendant ce mot:

— Le déshonneur fait partie de notre état. Ce que je crains, c'est de n'être pas réélu d'ici trente ans. Quel scandale !

D'autre part, il était certain que la personnalité de Dupy se faisait trop envahissante. Ses films circulaient dans toutes les salles du Québec. Les copies attiraient les foules à l'étranger. Les magnats de la télévision américaine assiégeaient l'immeuble du Parti. Dupy rapportait gros. Ses proches commençaient à percevoir le niveau de son intelligence et de son adresse. Le Parti avait en face de lui un serviteur, mais aussi un ennemi. Comment l'intégrer? Alain et Soulières savaient, eux, pour le voir chaque jour, qu'il n'était pas question de revenir en arrière. Dans sa tanière, le loup solitaire attendait que tombe la nuit. Ils l'appelaient maintenant d'office Patron. Ce mot échappa même à Maisonnier, qui hésitait encore à choisir son camp. C'était l'aventure. Il finit par choisir Dupy. Voici comment. À Soulières, il dit:

«Mon vieux, le sort de Dupy est lié au tien. Je suis une vieille bête politique. Il y a des choses que je sens, là, sous mon nez; d'autres que je pressens, là, au-dessus.» Il indiqua le plafond, donc le 31ᵉ étage. «Il n'est pas question pour moi de faire le saut. (En clair, donc j'y pense.) Mais si j'avais à le faire, si le Chef me le demandait (En clair: Celui-là, son compte est bon !), je ne voudrais pas m'engager pour me retrouver, un an après, sans Dupy l'Image, en tête-à-tête avec un nain. Tu comprends? C'est de ta santé qu'il s'agit autant que de la sienne. Check-up, mon vieux. Visites médicales, séjour à Notre-Dame, il me faut un certificat médical. Au moins dix ans; mettons cinq, pas de bouchées doubles. Si vous allez bien tous les deux, on y repensera. Dix ans, c'est deux législatures. Le chef premier ministre, le Patron derrière, qui mène tout. Pourquoi pas?»

Le Patron! Le Patron! Chacun n'avait plus que ce mot à la bouche. Le peuple, lui, n'attendit pas la décision des états-majors. Le parti au pouvoir, *Parti indépendantiste pour l'Unité canadienne* (PIPUC), se terrait. Ses stratèges attendaient. Ses limiers cherchaient à découvrir l'identité de l'Image. Le premier ministre pleura à la télévision.

Ses électeurs lui échappaient. Il promit de changer la loi de l'impôt; désormais, on n'augmenterait les impôts qu'après référendum. «Le Québec sera la Suisse de l'Amérique», s'écria-t-il entre deux sanglots. Certains s'émurent. Castelgandolfo écrivit dans *Le Sçavoir:* «Ce premier ministre reste ce qu'il a été, il sera ce qu'il est. Ses larmes manquaient de virilité. Or, nous aurions voulu des larmes issues de la transparence, qui nous rappelassent l'énergie d'un dirigeant que nous avons connu plus près des réalités de ce peuple qui, quoi qu'il advienne, restera le nôtre.» Dupy lut cet article, comme tout le monde. La Pythie avait parlé. Voilà où nous en sommes, après un mois. Il décida d'agir. Une conférence réunit Alain, Maisonnier et Guy de F. autour du nain. Il parla en maître.

Primo: liquider la troupe Numbra. On leur expliquerait que Dupy avait disparu. Les envoyer dans l'Ouest de préférence.

Secundo: que faire de Grumertz? Un conseiller technique? Lui permettre, vu son âge, d'entrer en clinique et de s'y faire oublier? Guy de F. promit d'y voir. Exit Grumertz, pensa Alain. La révolution dévore ses enfants.

Tertio: sonder le Parti. Il voulait, lui Dupy, continuer à être utile. Encore fallait-il savoir où on allait.

L'urgence de la situation éclatait aux regards. Le directeur du *Sçavoir* devenait de plus en plus énigmatique, sa syntaxe éclatait de toutes parts. Partout dans le pays se formaient des sections d'un Rassemblement Duplessis Godbout. La première unité apparut à Shawinigan où l'Association des P'tits gars rejeta son chef et passa avec armes et bagages dans le camp de Dupy. En dix jours, le Rassemblement Dup God recouvrait le Québec. Il y avait là une espérance d'autant plus dynamique qu'elle était imprécise. Tout le monde se ralliait. Le nom même de Duplessis Godbout rapprochait les pires ennemis. Les duplessistes à gauche, les godboutistes à droite, tous se retrouvaient dans l'adulation de l'Image. Un sociologue de Harvard nota le phénomène suivant. Il voulut en faire une loi qui porterait son nom, mais ses confrères, réunis en congrès, le lui interdirent. Il constata que le culte se nourrissait de ses contraires. Le besoin d'unité, pour la première fois dans l'histoire du Québec l'emportait sur les chicanes imposées par les politiciens. Duplessis Godbout ne disait pas: «Je vous aime», ou: «Vous méritez l'amour». Son message était: «Mériterez-vous un jour que je vous aime?» Il parlait d'un amour possible, lui qui n'était qu'amour. Il parlait d'une justice possible, lui qui n'était que justice. Tout viendrait à son heure, puisque, de toute évidence, il dominait le temps.

— Tout ça, c'est l'œuf de Christophe Colomb, dit le chef de l'opposition à Maisonnier, qu'il avait convoqué. Il s'agissait d'y penser.

Maisonnier regarda la trogne du chef, ses cheveux gominés, ses longues dents blanches, son sourire idiot.

— Et de projeter cette image, répondit-il révérencieusement.

— Ah oui! cette fichue Image! Et les yeux du chef s'embuèrent.

Il ne va pas pleurer lui aussi, se dit Maisonnier. Non, le chef se ressaisit et pourlécha sa bouche sèche.

— Tenez, mon cher Maisonnier, je ne sais ce qui me retient, parfois j'ai envie de tout lâcher.

— Eh bien! chef, lâchez tout.

Ce fut un cri du cœur. Le chef de l'opposition faillit s'évanouir. Il en avait vu d'autres, mais ça! cette perfidie à visage découvert. Hélas, il n'y pouvait rien et comme le loup de Vigny, il décida de faire bonne figure.

— Le caucus décidera.

Il y a une fatalité aussi dans la réussite. Dupy, qui pourtant ne manquait pas de cynisme et dont l'intelligence s'était admirablement éveillée au cours du dernier mois, se sentit emporté par la vague. «Attention, se disait-il, ne nous laissons dominer ni par le sentiment ni par le besoin de nous venger du sort. La vengeance est un plat qui doit se manger froid. Je suis ce que je suis, le pouvoir que j'exerce est déjà une merveilleuse compensation. Faisons durer l'équipe Soulières-Dupy, qui a créé Duplessis Godbout. N'ayons que les exigences qu'il faut. N'effrayons pas. Du calme. Ce régime s'effondre. Déjà plus, pas encore. Attendons.» Maisonnier et Guy de F., venus faire allégeance, le trouvèrent très calme. Ils revenaient du caucus. L'analyse des stratèges était la suivante. Maisonnier avait deviné juste. Le Parti s'en remettait à Duplessis Godbout. À lui de prendre la décision qui les lierait tous. Voulait-il faire de la politique, prendre en main le destin de la nation? Il n'avait qu'à le dire. Mais alors à une condition, unique, essentielle. Il devait se montrer au Parti et au peuple. Comment pouvait-il devenir chef de l'opposition, se faire élire député, gouverner, dominer la Chambre, sinon par sa présence de chaque instant? Les députés, les membres du Parti ont besoin de la présence du chef, d'un compliment ici, d'une réprimande là, d'explications. Une obéissance n'est absolue que dans la mesure où le chef entraîne ses troupes, les oblige à se dépasser et leur fait peur. Pris à part, chacun est un agneau; ensemble, les députés forment une meute que le chef doit mener au knout. Il faut qu'il soit présent, sourires ou grogne. Cela était évidemment impossible à Dupy. Son seul moyen de communication était le film, son Image. On passait et repassait les siens dans les salles. D'accord, il avait plus qu'un énorme succès. En un mois, il était devenu la vedette la plus importante du Québec.

— La vedette? dit Dupy. Qu'est-ce qu'une vedette?

Il situait son rôle à un autre niveau. Une vedette fait appel à un aspect de la personnalité collective. Lui les recouvrait tous. Soulières et lui en avaient pour au moins dix ans. C'était là l'avis des médecins. Deux législatures, cela comptait dans la vie d'un parti. En dix ans, on peut refaire le monde. Dupy reprenait la pensée de Maisonnier. Il s'agissait de trouver une solution à un problème bien spécifique, voilà tout.

—Quel problème? Question innocente de Guy de F.

—Le pouvoir.

La réponse tomba comme un couperet. Guy de F. échangea avec Dupy un regard profond où, pour la première fois, ils prirent la mesure l'un de l'autre. Guy de F. comprit que Dupy avait traversé les apparences et que, dans son esprit, rien ne comptait. Son regard avait plongé dans celui d'un nain. Peu à peu, Guy de F. s'était habitué à la personnalité de Dupy. Il en était arrivé à oublier la taille, les jambes lourdes et arquées, la démarche chaloupante, la tête trop grosse, les bras trop courts. Entre l'homme transcendantal des films, entre le phénomène inexplicable, et cet être démuni, ce nain assis en face de lui sur une chaise haute, ou disparaissant au fond d'un fauteuil de velours, il ne faisait plus de différence. Force de l'habitude? Puissance de la volonté? Il ne savait trop. Chose certaine, le mystérieux fluide, la lumière qui, de Soulières, de son utilisation des ondes était allée chercher le nain Dupy pour le transformer en source d'amour cosmique, savait ce qu'elle faisait. «Pourtant, se demandait Guy de F., dont l'expérience des hommes politiques, cette quintessence de l'homme animal, était pour ainsi dire inépuisable, pourtant, cet amour que la foule portait au dieu, à Dup God, le dieu nouveau le lui rendait-il?» Guy de Fontgalland Bloomfield craignait le mystère de haine dont il devinait, lovée au fond de cette âme, la présence. C'est pourquoi le mot «pouvoir» le secoua. Dupy, par ces deux syllabes, venait de soulever un coin du voile magique. Pendant un quart de seconde, Guy de F. eut peur. Il s'était chargé du sort des nains, expédiés en Californie sans tambour ni trompette. Numbra avait hâté le processus, heureux de s'être défait de Dupy. À Guy de F. on n'avait posé aucune question. Et puis, il y avait trois jours, avait paru un article, distribué par l'AFP. Au cours d'un voyage à Paris, l'illustre savant Raimundus Grumertz avait été victime d'un infarctus. L'Hôpital américain de Neuilly faisait paraître un bulletin de santé. L'état de Grumertz était critique et l'ambassade de Bulgarie avait émis un démenti, protestant contre les insinuations de certains journalistes. Le sort jouait décidément en faveur de Dupy. Mais Guy de F. se demanda: «À quand le prochain infarctus? Maisonnier? Le chef de l'opposition? — Il avait les lèvres sèches. — Moi?»

Il fallait, pour survivre peut-être, pour échapper à ce nouveau destin, accepter Duplessis Godbout et obéir les yeux fermés. Ne jamais oublier Grumertz. La politique avait changé de nature. Guy de F. pensa au programme du Parti, fondé sur le principe de la bonne entente. Jusqu'à présent, il n'avait servi qu'à enrichir ses dirigeants, calmer la puissance fédérale et ces quelques Québécois farfelus qui souhaitaient le grand État canadien unitaire. Si Dup God en faisait son affaire? Si, fort de son charisme, il entraînait le peuple, maintenu depuis plus d'un siècle dans l'ignorance politique par les partis, à souhaiter l'application de ce programme? Il regarda Dupy longuement dans les yeux, saisi par le vertige de la logique de l'histoire. «Les actes suivent», se dit-il. Désormais, il s'agirait de freiner, tout en confondant dans son esprit Patron et Parti. C'était dépasser le souci primaire de remporter des élections. Vendre son âme. «Je suis en train de devenir un homme d'État.» Il en parlerait à Maisonnier, dont la sécheresse de cœur lui était connue. Par une curieuse coïncidence, Maisonnier trouvait Guy de F. bien insensible.

— Qu'en pense M. Maisonnier? demanda Dupy.

— Patron, répondit Maisonnier, le journal est à votre service.

Dupy regarda de nouveau Guy de F.

— Le Parti suivra — un silence — Patron.

— Je filme tout ça, dit Soulières. L'équipe! Un moment historique.

C'est ainsi qu'autour de l'Image, on vit jusqu'à la mort imprévue et si soudaine de Soulières, accrochée aux murs les plus invraisemblables, la photo de Dup God, entouré du ministre des Finances, de celui de la Culture et du chef de son cabinet particulier. Alain Soret passa ainsi de l'anonymat à la gloire. La vie lui donna plus, peut-être, qu'il ne méritait. Mais c'était un brave garçon. Le noyau des fidèles était constitué. La machine de propagande se mit en marche. Des conseillers américains — ceux-là mêmes qui avaient eu l'idée de faire pleurer Nixon à la télévision — s'amenèrent. Ils ne virent Dup God qu'au cinéma, car il avait été entendu dès la mise en place de l'équipe que le processus de vente de Dupy ne se ferait que par l'image. Les Américains marchèrent à fond. «C'est la formule de l'avenir dirent-ils. L'homme de génie n'est lui-même que sous les projecteurs. Les spectateurs du XXe siècle le savent. C'est pourquoi ils ne portent au pouvoir que des vedettes du cinéma et de la télévision. Le message, c'est la caméra. Le problème n'est pas là; au contraire, cet anonymat grandiose est un avantage, car il représente l'acceptation de la réalité moderne. Non. Le problème, c'est le programme. Les idées des vieux partis sont dépassées. Faisons l'expérience de la nouveauté. Vos électeurs sont sans idées politiques. Ils n'ont qu'une vague sentimentalité qu'ils appellent idéologie. Ce sont des cobayes idéaux. Voyons un peu.»

Ce raisonnement plut à Guy de F. et à Maisonnier, trop savants en politique pour ne pas mépriser le peuple. Par interphone, Dupy les entendit discuter avec les experts. Il approuva. D'abord, neutraliser le Parti. Changer la loi afin que le premier ministre puisse être représenté à la Chambre par un porte-parole ou, mieux encore, que tous les débats soient retransmis à la télévision, lui y participant depuis son bureau. La distanciation souliérienne ferait désormais partie de l'efficacité politique. Guy de F. savait les députés aux abois et prêts à tout. On avait déjà, en 1981, changé la constitution dans une atmosphère de mensonge et de mépris de la parole donnée. On n'avait qu'à reprendre ces entourloupettes. Le refrain de Guy de F. et de Maisonnier, avec Alain en écho, devint:

— Patron, no problem! C'est officiel.

La seule difficulté qu'ils prévoyaient était la suivante: Duplessis Godbout n'avait jamais traîné le Parti dans la boue. Il n'avait jamais traité ses dirigeants d'imbéciles. Or, les assemblées aiment qu'on les maltraite.

— Mais je pense que je les insulte bien assez. Je refuse de me montrer à eux, sans exception aucune.

— Espérons que cela suffira.

Cela suffit. Dup God fut élu chef du Parti à mains levées. Le chef de l'opposition accepta de jouer les intérimaires jusqu'à l'élection. On lui promit le Sénat.

Le grand jour venait vite. Tout le monde avait peur dans l'entourage de Dup God, sauf lui. Il fit venir Alain.

— Je veux des cigares et un diamant.

Il dressa l'auriculaire de la main gauche.

— Une bague.

Guy de F. puisa dans les fonds et Dup God, la main au front, s'admirait devant une glace. Ses yeux pétillaient d'une sorte de plaisir enfantin, mais son sourire gras, ses lèvres bleutées faisaient peur. Et l'idéologie du Parti?

Il lut attentivement les vieux programmes. Il en retint les articles les plus plats.

— C'est ça qu'il nous faut. Je sais ce qu'ils veulent. Dans un premier temps, ne rien déranger. Ensuite, on verra.

— Patron, intervint Guy de F., il y a les grandes options.

— Je sais. L'économie, l'indépendance, les barrages, les enfants qui poussent, les vieux qui ne meurent plus, la drogue. C'est partout la même chose dans le monde. Tout ça prouve que nous sommes une société saine, à la recherche d'elle-même. Laissons toutes les options ouvertes. Les ministres feront le reste. Je veillerai au grain.

51

Alain, Guy de F., Maisonnier, les hiérarques comprirent que Dup God n'avait peur de rien, qu'il irait dans le sens du vent. Il y avait en lui un tel aplomb, la vague qui l'emportait était si forte, qu'il suffisait de se laisser entraîner. On verrait bien après. Alain manifesta sa surprise devant l'indifférence des vieux routiers du Parti.

— C'est ainsi, lui dit Guy de F. Ils ont l'habitude des chefs. Être un chef, c'est savoir interpréter l'avenir à partir d'une position neutre. Il y a des temps creux dans la vie politique. Nous sommes au coeur de l'un d'eux. C'est ce qui explique la popularité du Patron. Lorsque les choses commenceront à mal aller, il passera la main.

— À qui?

— C'est le secret des dieux. Ou du Parti.

Alain comprit que Dup God aurait du mal à couper les tentacules de la pieuvre et que, bague de diamant ou non, il devrait apprendre à composer. Les jeux étaient faits. Il prendrait le pouvoir, mais la lutte ne tarderait pas à s'engager entre lui et les vieux renards dès qu'ils sentiraient leur tanière menacée. Dup God n'avait aucun appui, que les foules. Le Parti, peu à peu, éroderait ce lien, couperait ces ponts de lianes. Dup God se retrouverait seul, avec son image de dieu. On se fatigue aussi de Dieu. Les foules sont changeantes. Guy de F. donnait à Dup God cinq ans. Trois ans? Guy de F. avait retrouvé son mystérieux sourire. Alain réfléchit. Tout ne serait pas aussi simple que semblait le croire le Patron. Les tractations n'avaient-elles pas été trop rapides? Dup God vivait dans l'illusion. Pour lui, tout se ramenait au cirque, avec ses cruautés, son quotidien, les querelles humiliantes de ces humiliés entre eux, l'ennui des gestes répétés sans fin, l'horreur du regard des autres. Sans doute plus cruel et plus autoritaire que ses camarades, Dup God les avait mis dans sa poche. Le Parti, c'était autre chose. Les coups s'y tramaient longuement, dans l'ombre, et soudain, un article vache d'un journaliste dont le chef croyait être sûr, une pointe d'épingle tout au plus et la statue commençait à vaciller sur sa base. Un député demande des explications, on s'absente du caucus, le téléphone sonne moins souvent. Le chef se sent isolé. Il perd un peu pied. Il se fâche, il remanie, les sondages le montrent en perte de vitesse, il se fait doux, conciliant, il puise dans son fonds de sinécures, il sourit, il implore, il est fini. Lui qui n'avait pas d'amis se retrouve entouré d'ennemis. Le scénario qui se déroulait dans l'esprit d'Alain représentait le meilleur des cas. Dup God, lui, ne connaissait personne. Il était cette merveilleuse image qui répondait au besoin que la foule avait d'infini, de mystère, de religiosité, de zen, de Krishna, de pieds nickelés, de Sauveur. On le regardait, on ne craignait plus la mort. Il ne changerait sans doute jamais. Mais le sourire de nouveau en coin de Guy de F. Bloomfield signifiait que les pontes du Parti savaient que la foule, elle, évoluerait, que, plus vite qu'on ne le croyait, elle aimerait ailleurs. Dans ces conditions, peu importait le programme du Parti. L'usine à programmes chômerait pendant une session. Après, on verrait.

Et si le secret des dieux filtrait? À cela il valait mieux ne pas penser.

Le grand jour approchait toujours, comme la mort. D'immenses écrans, aux carrefours, au bord des routes, illuminaient le pays la nuit. On entendait la voix de Dup God, chaude, aimante, rassurante. Les touristes américains affluaient. Guy de F. et Alain organisaient des manifestations spontanées aux flambeaux. Le programme, dans son hiératisme, remplaçait l'image sacrée, pour une seconde, paraissait, disparaissait. Parfois, un arbre remplissait l'écran, avec le slogan du Parti: *Voie, Vérité, Avenir.* En Dup God glorieux, les Québécois se retrouvaient. Ils puisaient une force nouvelle dans ce merveilleux regard. Alain en était triste. Mais le journal l'avait presque rompu à la politique. «Lui ou un autre, se disait-il, cette farce tragique n'est, après tout, que la conséquence logique des jeux politiciens. Il fallait bien qu'un jour ils débouchent sur l'absurde. C'est fait.»

Trois jours avant l'élection, dans son grand hôpital silencieux de Neuilly, Grumertz mourut. Alain et Soulières s'apitoyèrent sur le sort du vieux savant. Alain téléphona à sa logeuse.

— Ces derniers temps, dit-elle, il dormait à peine et passait des nuits entières à marcher de long en large dans sa chambre. Je dors en dessous, alors, vous comprenez, nous nous sommes un peu disputés. Il m'a dit: «Madame Chouinard, je pars à Paris.» Si je l'avais su, je l'aurais retenu. Il m'a dit: «Madame Chouinard, je m'en vais à Paris pour mourir.» Et il est mort.

Alain fit part à Soulières de cette conversation. Soulières dit:

— Bien sûr qu'il savait qu'il allait mourir. Feronsnous long feu nous aussi?

Alain conserva longtemps le souvenir de Grumertz dans son cœur.

Dup God fut élu. Il parut à la télévision et dit, avec le plus grand sérieux:

— Je suis venu, vous m'avez vu, j'ai vaincu.

On murmura que ces mots lui avaient été soufflés par Castelgandolfo, qui les commenta «en toute transparence» dans le *Le Sçavoir*. Pour le reste, il ne promit rien, sinon qu'avec lui allait commencer le grand combat de l'épanouissement. Les députés et les militants de *La Droite gauchiste* lui vouaient un culte. Pensez donc! 87% des voix! Toute la Chambre moins un député. Un vrai balayage et un nouveau balai! Ils en pleuraient.

Le lendemain, Alain prit congé. Il se rendit au bord de la Rivière des Prairies et s'assit près d'une clôture, sur un bout de gazon. Il regarda couler l'eau et, dans l'eau, le ciel et ses nuages qui passaient avec elle. Est-ce par mimétisme? Ses yeux se remplirent de larmes. Il pleura tout son saoul, jeta son mouchoir, se leva, s'ébroua et revint à sa voiture. Il eut honte. Les vrais hommes politiques ne pleurent pas.

L'ÉTAU

I

Le mensonge peut-il être la vérité? Que de fois on se leurre; l'imagination entre en branle, afin de créer une réalité qui correspondra à vos secrets désirs. Chacun pratique à sa façon l'art de se donner raison. Si vous souhaitez la mort de votre père, et qu'il meure plus tôt que ne l'avait prévu la Faculté, en moins de temps qu'il n'en faut pour le dire, le voile du Temple se déchire, vous tremblez, vous craignez que le mort ne se dresse devant vous, vous vous accusez d'un crime que vous n'avez commis qu'en pensée. Qu'en pensée? Que dis-je? Le crime loge dans la pensée. Devant la vérité du désir, vos mensonges sporadiques ne font pas le poids. J'irai plus loin. Votre père est mort inopinément, emporté par la force de votre secrète volition. Vous avez raison de vous sentir coupable, puisque vous l'êtes. En revanche, si votre imagination est bien dressée, elle transformera à mesure en tableau idyllique les situations où vous apparaissez à votre désavantage. Vous sortirez vainqueur de toutes les épreuves, le sourire aux lèvres, dans le pur triomphe de votre vérité. En somme, chacun se fabrique une vérité à sa mesure. Pirandello a traité ce sujet dans une pièce subtile, comme un filet de pêcheurs qui résiste à la mer et aux siècles, sans parler des poissons. Je veux moi-même donner un exemple de la vie de ce proverbe. Ou plutôt, trois exemples; ou l'un en trois. Nous verrons.

Je venais à peine de m'installer à Montréal, après avoir vécu plusieurs années à l'étranger, que je tombe, rue Rachel, sur le père Louis Sarrazin. Son nom est connu des amateurs de notre petite histoire. Il a laissé un guide de Montréal 1900, dans lequel ont puisé, sans un coup de chapeau, bien sûr, de nombreux spécialistes de Nelligan et de son époque. Les Dix avaient pensé l'élire dans leur compagnie. Les supérieurs du père Sarrazin leur firent tenir, à l'abri des oreilles, qu'ils ne souhaitaient pas que l'un des leurs s'élevât indûment dans la classe intellectuelle. Le père Sarrazin ne savait rien de ces dispositions fraternelles. Il ne vivait que pour des détails de calendrier, et la correction par le menu de notices biographiques. Nous lui devons l'itinéraire en Europe de Mgr Labelle, à une heure près. Son regard était voilé, comme perdu dans une toundra de dates. Cependant, homme alerte. Imaginez un vieux monsieur barbu, en soutane, rieur, se tortillant, perdu dans ses chimères. « La vérité, disait-il, repose sur l'infinitésimal.» «Vous devriez écrire des romans policiers, mon père», lui disais-je. « Je n'en aurais que faire, me répondait-il, je ne connais rien à la nature humaine.» «Et les confessions?» «J'écoute à peine ce qu'on me dit. Les hommes sont tous les mêmes. Au bout d'un an, on s'y est fait. Je m'étonne qu'on demande pardon.»

J'admirais ce détachement. Dans la rue, au milieu des passants, son regard voilé me repéra, comme une citation tronquée. Moi, avec mon regard de jeune, je ne l'avais pas vu. Mon Dieu, écrivant ceci, je me rends compte qu'il y a de cela quarante ans! C'était l'hiver, le soleil était froid, très solitaire. La veille, il avait neigé. Les rues étaient blanches et les éclairs des tramways, aux carrefours, faisaient vibrer la neige, soudain bleue, ou rouge, ou verte.

Le père Sarrazin m'invita à déjeuner, pour le jeudi suivant, chez sa sœur Gilberte «qui souhaite vous connaître». J'avais quinze jours de vacances, que je passais à flâner, à la Librairie Tranquille; dans un coin, je lisais des volumes entiers d'histoire littéraire, dont les photos anciennes me plongeaient dans un univers de bottines à boutons et de lavallières (je ne savais pas à quel point ce mot prendrait vite de l'importance dans ma vie).

Libre de toute attache, connaissant peu de monde à Montréal, fatigué de la table d'hôte de la rue Saint-Denis, où je déjeunais (le soir, à la maison, un œuf dur et une salade), j'acceptai l'invitation du père Sarrazin et me rendis chez sa sœur, dans une rue discrète d'Outremont, au jour et à l'heure dits.

Gilberte était son frère en vieille demoiselle, aussi aimable, volubile, généreuse. Le père Sarrazin l'appelait Plum, de plum pudding, car elle en faisait de sublimes. Je m'en tins toujours au Mademoiselle de rigueur. Il y avait, en elle, une grande innocence. Elle sautillait de par la pièce, se rengorgeait, jouait les séductrices. Son frère lui-même, bien que prêtre, et vieux, n'échappait pas à ces jeux et à ces ris. Sa main gauche caressant sa barbe, il levait les yeux au ciel. «Plum! Plum!» disait-il. Comme beaucoup de femmes fortes, aux jambes courtes et à la gorge nombreuse, Gilberte était d'une agilité déconcertante. Il n'y a pas à dire, c'était un oiseau. De toute évidence, elle n'avait jamais connu l'homme. Il y avait, dans sa démarche, ses rires, sa sérénité, sa mélancolie, une présence, un fil conducteur qui donnaient un sens à ce qu'elle faisait. Cette présence, c'était sa virginité. On me dira: «Comment, vous, un homme, pouvez-vous déceler pareille chose?» Je n'ai rien à répondre, sinon qu'il en est ainsi. L'instinct, en ces matières, est puissant. On ne pense pas à la virginité d'une enfant. Cela va de soi. Mais une vieille enfant, comme était Gilberte, avec ses élans d'imagination, ses tristesses boudeuses, sa fraîcheur d'âme, évoquait la pureté de la nature, un être intact, la fleur qui ne fanera jamais, l'inexpugnable forteresse de l'amour.

Pendant le déjeuner, je me sentis heureux, libre, entre ces deux êtres purs et vierges. Le père Sarrazin se situait au-dessus des contingences physiques, dans le rébus de ses petits faits vrais. La chère sortait d'un roman de Balzac. J'imaginais ainsi la table d'Ursule Mirouet et de son protecteur. Le soleil de l'hiver inondait la salle à manger. Nous étions tous trois comme au milieu d'un rayon de soleil.

Au café («concierge» dit-elle: nous restâmes donc à table), Gilberte disparut et revint (le père Sarrazin leva les yeux au ciel) avec un album de photos.

— Celui-ci, c'est mon oncle Michel.

Je ne dis ni oui ni non. Le visage me rappelait celui de quelqu'un, une autre photo. Michel! Michel qui? Je fouillai dans ma mémoire, où es-tu Michel?

— Michel Lavallière, précisa le père Sarrazin.

Michel Lavallière était mort peu d'années auparavant. On ne parlait plus de lui. Le lire? L'avait-on jamais lu? Je savais qu'il avait fait partie du cercle du Nigog. C'était au début du siècle. Autant dire Nabuchodonosor. Comme tous les Canadiens français de cet immédiat après-guerre (ont-ils changé depuis qu'ils sont devenus Québécois?), j'avais horreur du souvenir des grands hommes, vrais ou amalgamés. Je rejetais le passé. Me parlait-on d'un événement, même d'hier, je haussais les épaules. Le père Sarrazin pouvait bien s'occuper de l'histoire des parcs à musique de Montréal! C'est notre façon à nous de mépriser nos ancêtres et nous-mêmes. Lavallière! N'avait-il pas imité Verlaine? Vécu à Paris et dans les Îles? Était-il moderne? Qu'avait-il écrit de contemporain? Gilberte et son frère devinèrent mon mépris. Ils se turent. Elle tourna vite les pages et nous admirâmes des cartes postales de l'Alhambra.

J'ai beaucoup revu Gilberte par la suite. Elle s'ennuyait, sous ses dehors alertes. Je lui apportais ma jeunesse et mon amour de la littérature. Il y a des hommes qui sont faits pour ajouter quelque zone de bonheur à la vie des femmes vieillissantes. Il faut croire que je suis l'un d'eux, puisque Gilberte, peu à peu, sans m'aimer d'amour, m'associa pleinement à sa vie affective. Cette vie était toute de souvenirs: son enfance, dans la Beauce, un homme qu'elle avait aimé, la présence sibylline et envahissante de sa mère à ses côtés, pendant soixante ans; surtout, le demi-dieu, l'oncle Michel. Je me demande parfois si Gilberte ne m'a pas choyé uniquement pour m'amener à aimer, moi aussi, à respecter, à lire l'oncle Michel.

Au cours de nos conversations, toujours accompagnées de gâteries, déjeuner, thé, liqueurs fines, (jamais dîner, car Gilberte était une couche-tôt), j'appris à plonger dans la vie de l'oncle Michel. Je constatai que l'accumulation des détails ne servait qu'à en recouvrir, même à en cacher d'autres, qu'on prenait soin de me laisser ignorer. Parfois, je parlais de lui à des amis, son nom glissé au hasard d'un propos. Je faisais des recoupements. Michel n'avait aimé qu'une fois. Cette femme l'avait abandonné; saisie par la folie des grandeurs, elle refusa d'épouser un pauvre hère, réduit à gagner sa vie comme journaliste itinérant. Elle n'avait pas prévu que, dans le Paris de l'entre-deux-guerres, elle connaîtrait nombre de nos grands écrivains, Roquebrune, Dugas, René Garneau, Grandbois, sans parler de l'architecte Monette. Au calme studieux d'un pavillon de la rue d'Orléans, elle préféra la compagnie de riches industriels et celle de leurs femmes, le tourbillon des réceptions et des concerts. Elle n'aurait du reste rien compris à la poésie capiteuse d'une concierge, de sa loge, de son cordon. Cette écervelée avait brisé le cœur de Michel. Jamais plus il ne songea à prendre femme. On ne lui connut aucune aventure. Vierge, comme son neveu et sa nièce? Cette famille s'était-elle, du commun accord de ses membres, vouée au culte marial, à la totale abstinence dans la physique de l'amour? Les photographies restées de lui révèlent un homme sévère, bouche boudeuse, regard impérieux. Mais, à bien y songer, on sent l'effort du sujet, en face de la machine à déclic, pour se donner une contenance, jouer son rôle avunculaire, se présenter à la postérité tel qu'elle souhaite le connaître. Derrière la façade du grand bourgeois à oukases, on devine un paysage fait d'une rivière transparente bordée de peupliers, dont l'eau mélancolique vibre au soleil. Pour tout dire, un paysage à la fois intimiste et impressionniste. La dureté du regard n'est qu'apparente. Michel Lavallière n'affirme rien du tout. Il pose des questions. Mieux encore, il pose une question, une seule. Laquelle? C'est ce que je me demandais, lorsque, trop souvent à mon gré, Gilberte m'obligeait à admirer la physionomie sacrée. Je dois reconnaître que je n'ai jamais pu résoudre l'énigme Lavallière. Peut-être n'ai-je pas fréquenté les cercles idoines. Je vis presque en solitaire. Même jeune, je n'aspirais à connaître le comportement des êtres que dans la mesure où il se rapportait à une séquence bien définie. Or, Michel Lavallière n'était que miroitements.

L'oncle Michel Lavallière, vu (et corrigé?) par sa nièce, s'était très tôt destiné à la poésie. Il ne fut que poète. Que viens-je d'écrire? Être poète, n'est-ce pas posséder la totalité du monde? Michel Lavallière croyait mordicus à son rôle de mage. Il vint à Montréal, de sa Beauce natale, au début du siècle et entreprit de régénérer le goût de ses contemporains. À l'instar de Paul Morin, il apprit vite à les mépriser. Il mangea du bourgeois. Ne trouvèrent grâce à ses yeux que M. Victor Barbeau, le sénateur Raoul Dandurand et Mgr Olivier Maurault. Après s'être frotté au journalisme (il faut vivre) sous forme de critique littéraire et théâtrale, il se rendit à Paris, qui devint son havre spirituel. Havre toujours calme, me dirent ses amis, puisqu'il y vivota en solitaire, peaufinant un poème ici, une conférence là, vivant presque en cénobite, d'articles qu'on lui commandait de Montréal, ou de traductions d'ouvrages historiques. Il ne connut aucun des grands écrivains de son époque, peut-être par amour de la solitude. Peut-être, aussi, en dérision de la vie littéraire à la mode parisienne, soucieuse avant tout d'intrigues pot-au-feu. Peut-être aussi par mépris de la production contemporaine, des faux penseurs, des criailleries quotidiennes, de l'absence de mystère. Toujours est-il qu'il est passé dans la vie parisienne comme une ombre. Ses amis canadiens le voyaient peu. Rien en lui du convive charmeur, du bon camarade qui aime rendre service, du pilier de café. Au contraire, une réserve qui pouvait être narquoise et la volonté extrêmement ferme d'avoir sa vie bien à lui. D'où son effacement et le genre qu'il se donnait d'être presque aphasique et légèrement idiot. On ne le remarquait tout simplement pas. Il le voulait ainsi. Gilberte n'aurait rien compris à cette volonté de se tenir à l'écart, ni aux raisons qui avaient amené Michel Lavallière à se retirer du monde ennuyeux et gueulard de ses compatriotes à Paris. Elle admirait Alain Grandbois et souriait religieusement lorsque je lui parlais de ses pénibles beuveries. Au premier silence, un gloussement. Elle ne pensait à son oncle que comme à un flirt, qui, verre en main, séduisait les femmes en leur récitant des poèmes. «La comtesse de Noailles, disait-elle, Anna de Brancovan!» Je rigolais, tenant la noblesse roumaine pour de la roupie de sansonnet et Anna pour une douce dingue. «C'est elle, disais-je, qui, verre en main, séduisait les nigauds en leur récitant de ses poèmes!» Gilberte me lançait un regard sévère. Elle avait horreur qu'en sa présence on «attaquât» la FEMME (elle prononçait ce mot en majuscules). Mais vite elle retrouvait ses esprits enjoués.

Elle me fit lire les «œuvres», qui tenaient en quelques centaines de pages. Le style, au premier abord, me déplut, fait de cris et de piaillements, d'une sorte de nervosité de l'âme, accompagnés d'une recherche maladive des nuances du style. De toute évidence, Michel Lavallière ignorait le naturel. Il donnait l'impression d'un écrivain qui veut éblouir un auditoire d'ignorants, ou de semi-incultes. Je me targuais alors de n'appartenir ni à l'une ni à l'autre de ces catégories (aujourd'hui, je sais que je ne sais rien) et les exercices de style de Lavallière m'indifféraient d'autant plus qu'ils ne reposaient sur aucun effort de la pensée. L'impressionnisme superficiel y trouvait seul son compte, délire verbal qui servait à masquer la réalité. Tout se passait comme si l'écrivain, à partir du moment où il utilisait le langage, estimait avoir dit ce qu'il avait à dire, la forme pour elle-même étant à la fois l'instrument du message intellectuel, et ce message. Gilberte se laissait séduire par cette logorrhée chiche. Elle y reconnaissait ses émotions à l'état inchoatif, auxquelles l'oncle Michel avait prêté des mots, donc un sens. Je ne trouvais rien de tout cela bien convaincant. À mesure que je faisais part de mes réserves à Gilberte, la qualité des plum puddings diminuait. Avec mes gros souliers, j'avais pénétré dans une zone interdite.

Faute de me convaincre de la grandeur du poète, Gilberte chercha à me convertir à l'homme, à son grand cœur, à sa piété profonde. Elle me raconta ses derniers instants, et sa mort. En 1940, Michel Lavallière n'avait pas cru bon de s'incruster à Paris, alors que les Allemands traversaient en trombe le nord et l'est de la France. Il avait peu de goût pour l'héroïsme. Il quitta donc son minuscule appartement de la rue de la Parcheminerie, y abandonnant à la grâce de Dieu un manuscrit, magnum opus dont il ne parlera plus qu'à voix chevrotante. Il traversa l'Espagne et le Portugal, où il avait des amis, et rentra à Montréal par le chemin des écoliers. Notre bonne ville l'accueillit à bras ouverts. On lui offrit une sinécure à la mairie. Le traitement était médiocre, mais la sinécure est une mariée non sans charmes qui lui sont propres. Il réunit en volume, sous un titre nouveau, quelques fascicules parus en France chez des éditeurs de province, que les farceurs soupçonnèrent de n'être autres, sous des patronymes divers, que l'oncle Michel lui-même. Les Montréalais de cette époque étaient gens balourds. Les sourires de Michel Lavallière, ses manteaux en forme de houppelande, sa gestuelle apprêtée, son langage circonvolutif, lui attirèrent, dans les bureaux de la mairie, le surnom de «mère Michel». Le poète se consolait en habitant le Ritz. Tout son revenu y passait. Peu lui importait. Dans cet hôtel qui avait alors des traditions, il se sentait chez lui, inconnu au milieu des passants et des guerriers, sûr de son petit déjeuner (bacon and eggs), insensible aux défaites et aux victoires d'Hitler ou de Churchill, fidèle à la France qu'il retrouverait, il en était sûr, et à ses dîners d'anachorète («un mendiant») au Pommier normand.

Tout se passa admirablement jusqu'au jour où Michel Lavallière apprit que le sort des armes avait favorisé le clan anglo-américain. Il pourrait retrouver ses habitudes de la rue de la Parcheminerie, son escalier en colimaçon, ses promenades en direction du Panthéon (ô ces ombres fugaces devant l'Hôtel des Grands Hommes!), ses jambons, ses saucissons, les longues séances debout, le dos rond, dans les librairies. Pourtant! Pourquoi pourtant? Michel Lavallière, curieusement, n'avait plus grande envie de retourner à Paris, de «retrouver ses habitudes», ce dont le félicitaient ses amis. Vieillissement? Il allait bientôt atteindre l'âge de la retraite. Comme il ferait bon avoir un petit appartement sous les combles, dominant le fleuve, chaud l'hiver, avec le téléphone, une épicerie et des livreurs à portée de la main. Il se prit même à s'attendrir sur l'accent de ses compatriotes, si parfaitement intégré à leur allure de pâtres. «Quand partez-vous?» lui demandait-on et il ne savait que répondre. Il souriait dans le vague, d'un sourire qui ressemblait à un coucher de soleil. Pour tout dire, il se sentait trop vieux pour recommencer sa vie, même dans cette ville qu'il aimait entre toutes. «J'attendrai, se disait-il, que les conditions de vie soient redevenues normales.» Souvent, il arrive qu'on ne veuille pas, qu'on ne puisse pas se décider, comme Salavin sur son trottoir. On s'y résout enfin, mais la décision prise, à mi-chemin entre le présent et l'avenir, vous rend prisonnier d'un choix qui ne satisfait ni le besoin d'inertie, ni celui du mouvement. Auprès de la fontaine, on continue à mourir de soif. Ce fut le cas de Michel Lavallière. Il continua son train-train ritzien (bacon and eggs), ne chercha même pas un nouveau logis, sous les combles, si poétique, s'enfonça dans le rythme routinier de l'Hôtel de Ville. Les farceurs qui se moquaient de la mère Michel étaient devenus ses affidés, mi-camarades mi-domestiques, aux petits soins, l'appelaient monsieur Michel gros comme le bras, séduits par sa gentillesse et les formules bizarres dont il ornait le fronton de son langage. L'ascenseur du Ritz avait harmonieusement remplacé l'escalier en colimaçon de la rue de la Parcheminerie. Quant au boulevard Saint-Michel et au Panthéon, ce passé était devenu rêve de la mémoire.

Michel Lavallière ne le savait pas, mais son indécision lui était dictée par les battements de son cœur. La nature fait toujours bien ce qu'elle fait. Car Michel Lavallière allait mourir. Son cœur ne battait ni plus ni moins vite, ni par saccades ni ne le faisait souffrir. Son médecin l'avait mis au régime, parce qu'il mangeait trop et de trop bonnes choses (plum puddings?). Pour le reste, alerte, souriant, ne cherchant pas son souffle, montant et redescendant comme un jeune homme l'escalier qui mène du hall du Ritz au Bar Maritime. C'est quand même son cœur qui, en catimini, lui disait: Attention, maître! Pas de décision hâtive. Je suis là, j'ai mon rôle à jouer dans votre vie qui tire à sa fin. Piano! Piano! Le matin, Michel Lavallière se traînait un peu plus, voilà tout.

Un soir qu'il rentrait chez lui, pensant à sa chambre calme dans des tons de gris, il ressentit dans tout le corps une vive douleur. Il pensa: «Ai-je marché sur un fil électrique à découvert? C'est une électrocution.» Pendant une seconde, son corps frissonna voluptueusement. Il se pencha pour voir ce fichu fil. En réalité, il perdit connaissance et s'affaissa, à quelques pas de la grille de l'Institut des Sourdes-muettes. Il ne sut jamais comment, mais en moins d'une demi-heure, il se retrouva à l'urgence de l'Hôtel-Dieu, dans une odeur de médicaments et d'encaustique, avec, au-dessus de lui, un visage de femme encadré de blanc. Une religieuse, cette odeur, l'hôpital. «Je ne suis donc pas mort, pensa-t-il, je n'ai pas été électrocuté.» Il sourit, du sourire piteux des agonisants, que sœur Élisabeth Saulnier connaissait si bien.

— Je suis Sœur Saulnier, monsieur Lavallière, on s'occupe de vous.

Michel Lavallière n'avait jamais mis les pieds dans un hôpital. À Paris, n'y allaient que les pauvres comme Verlaine, qu'il admirait mais qu'il n'avait pas fréquenté. À Montréal, ses amis se portaient bien ou mouraient sans l'avoir prévenu. Il se sentit tout drôle, sous un échafaudage tubulaire, ainsi qu'une marionnette immobile, attendant qu'on la mette en mouvement. Il s'endormit et s'éveilla dans une chambre blanche, dont les fenêtres donnaient sur le Mont Royal. À sa droite, une femme lisait, c'était sa sœur; debout à sa gauche, rangeant des objets sur une table, Gilberte. Elle surprit le regard de l'oncle Michel, vint vers lui en souriant, l'embrassa sur le front et se dirigea vers une table, devant le lit, où elle prit une pose romantique devant un bouquet à la Odilon Redon. Michel Lavallière sourit avec tendresse, à sa nièce, à sa sœur, tournant légèrement la tête vers la droite, à Odilon, à la mort qui est partout. Il sut qu'il allait mourir, chassa cette pensée.

Les quinze jours qui suivirent furent atroces. Il souffrit mille morts. Piqûres, pilules, la rigidité cadavérique des horaires, les décisions à prendre, le testament, le prêtre. Gilberte et sa mère lui parlaient de tout ça la bouche en cœur, se leurrant, pauvre oncle Michel, il ne se rend pas compte qu'il va mourir. Lui le savait, et de plus en plus parfaitement. Il n'avait ni vécu en France, ni lu

Balzac en vain, il connaissait la vie, donc la mort. Heureux du reste d'avoir à son chevet, chaque jour, ces deux femmes, qui le dorlotaient, surveillaient les infirmières, riaient avec sœur Saulnier, en somme, tenaient salon, changeaient les fleurs, de plus en plus vaporeuses, lui faisaient signer un document ici, présentaient là prêtre et notaire. En décrivant ces scènes, Gilberte les rendait radieuses. Elle tenait surtout à ce que l'oncle Michel mourût en chrétien. Dieu merci, ce désir qu'elle partageait avec sa mère, sans parler du père Sarrazin, fréquent visiteur, mais discret, fut exaucé. Peu de jours avant sa mort, Michel Lavallière réclama un prêtre.

— C'est un saint, dit l'ecclésiastique, en le quittant.

Gilberte et sa mère n'avaient donc pas prié en vain.

— Souffrit-il beaucoup, demandai-je?

Gilberte éloigna d'elle cette pensée. Elle la trouvait incongrue. La mort elle-même est souffrance.

— Il est mort heureux, répondit-elle.

Jusqu'en haut, sa mère et elle avaient accompagné l'oncle Michel dans son dernier périple. Il était mort aussi doucement que si, en compagnie de ses deux chères parentes, il avait fait, une dernière fois, le tour du Panthéon, le soleil déjà couché, la lune énigmatique brillant dans le ciel, n'éclairant rien. La mère de Gilberte lui tenait la main. Gilberte étouffait ses sanglots. Le prêtre priait. L'hôpital semblait s'être tu, on aurait pu entendre une épingle tomber. C'est alors, dans ce silence, qu'apparut Thanatos, entouré d'anges, et qu'il emporta l'oncle Michel avec lui dans son royaume.

— Quelle chance nous avons eue, maman et moi, d'être à ses côtés jusqu'à la fin. Il nous aimait. Je me demande parfois s'il a jamais aimé d'autres femmes que nous. Il nous écrivait. Nous avons été les premières à savoir ce qui le liait à la comtesse de Noailles, née Anna de Brancovan. Fille d'un voïvode, s'il vous plaît. Il n'avait pas de secrets pour nous. Il nous a tout légué, sa correspondance, ses papiers, ses manuscrits. L'amour a dicté notre conduite. Seulement en fleurs, j'en ai eu pour des centaines de dollars. Je ne regrette rien. Lorsque je regarde sa photo ou relis l'une de ses cartes postales, l'Espagne, l'Italie, sa France chérie, je me dis: Comme tu as bien agi, ma petite!

Gilberte, malgré son émotion, roucoulait. Moi-même, entendant ce récit, que j'écourte et raconte à ma façon, qui se veut elliptique (mais comment ne pas céder au verbiage lorsqu'on a cru, à seize ans, que Thomas Mann était un grand narrateur?), j'étais ému. Je m'assis sur le canapé, et entourant de mon bras fraternel, les épaules de Gilberte, lui dis: «Chère mademoiselle, pleurez, cela vous fera du bien.»

Elle renversa sa tête sur ma poitrine, et pleura, un peu longuement peut-être, mais je ne bougeai que lorsqu'elle se dégagea, répara le désordre de sa coiffure, se moucha, s'essuya les yeux, rit comme une enfant prise en faute. Elle se leva.

— Au revoir, Monsieur, me dit-elle en me tendant sa main fermée sur son mouchoir. Vous comprendrez qu'après ce qui vient de se passer, je préfère rester seule avec mes souvenirs.

Elle avait pris un air un peu hautain, qui lui allait mal.

Je partis. Dans la rue, le vide, pas un passant, ni même un chien. Je courus jusqu'à un autobus où le spectacle de mes semblables me parut tonifiant. Gilberte ne me téléphona plus.

II

Bruno Bergeron (BB pour les intimes) ne fumait que des Coronas del Ritz. Après un bon déjeuner, c'était merveille que de le voir allumer son cigare. Rien ne changeait dans sa physionomie, mais tout le corps se détendait, prenait possession de l'espace et disparaissait en fumée. L'odeur des Coronas est fine et poivrée. Elle entre en vous et vous dorlote. Vous oubliez vos soucis, faites corps avec les rêves qui montent, en savantes volutes, de la bouche de BB, s'étendent au-dessus de vous comme un nuage, et s'enfuient au loin, mirages. BB, lui, ne rêvait pas, tout au plaisir immédiat.

Il était petit, nerveux, chauve, délicat et fort. Il avait passé sa vie dans les affaires. Était-il riche? Il menait grand train et sa femme, la belle Yvonne, plus grand encore. Il y avait belle lurette qu'il n'aimait plus Yvonne, belle ou laide. « Si nous ne nous étions pas mariés, me disait-il, je l'aimerais toujours.» «Beau jugement porté sur le sacrement de mariage.» «À l'usage, répliqua-t-il, les sacrements se ressemblent tous. Ils compliquent les choses et les rendent inefficaces.» BB jouait les cyniques. Il avait un cœur fragile, aimant. Yvonne parlait tendresse et sourires. Ses actes étaient d'une cynique qui n'aime que l'argent. Elle était fière d'avoir épousé BB à sa sortie de la Faculté des lettres et d'en avoir fait un vice-président de société d'import-export. «C'est ça la vraie vie», me dit-elle en souriant. Elle portait une robe montante dont le col, à l'arrière, dévoilait cinq perles d'un collier. Elle surprit mon regard. «Rien ne m'horripile plus que l'ostentation», ajouta-t-elle. J'avais connu BB et Yvonne à la Faculté. Nous écoutions attentivement le chanoine Sideleau parler de Malherbe, de ses annotations en marge des sonnets de Philippe Desportes. Nous croyions dur comme fer que Malherbe était un grand poète, qu'il n'était pas venu pour rien. BB et Yvonne avaient conclu une entente. Bon, tu gagnes largement ta vie, je te laisse tes écrivains. Ce sera ton hobby. Voilà. BB n'avait jamais pu oublier qu'il était, ou qu'il avait été, un littéraire. Je l'en moquais souvent. Il riait de mes saillies. Nous nous invitions à déjeuner l'un l'autre, lui riche, moi d'espèces plus trébuchantes que sonnantes. Mais BB tenait à honneur, à chacune de nos rencontres, de m'offrir un beau livre. Je n'en disais rien à Yvonne. Elle aurait rugi, nous nous serions brouillés. Pourquoi se compliquer la vie? BB, lui aussi, gardait le secret. Tous les jours, à partir de 16 heures, il virait son capot (c'était son expression) et se plongeait non seulement dans les livres, mais aussi dans la vie des livres. Pour lui, les auteurs étaient cette vie. Il n'avait aucun talent d'écrivain (ce défaut n'a hélas! empêché que lui d'écrire, les noms se pressant sous ma plume); il respectait l'homme de la page blanche. Combien d'écrivains n'a-t-il pas aidés sous couvert de l'anonymat déguisé en admiration: «J'admire ce que vous faites», écrivait-il sur la carte blanche qui accompagnait le billet de banque, ou les billets, selon. Il ne mentait pas, car souvent il admirait chez un écrivain l'assiduité de la volonté plutôt que le talent. «Tu encourages le vice.» C'était mon reproche préféré. «Toute littérature a besoin d'humus», répliquait-il, m'offrait l'édition originale de *Volupté* et allumait l'un de ses Coronas adorés. J'acceptais, je riais. Il n'y a rien à faire avec les atteints de générosité.

Quinze ans après la mort de Michel Lavallière, trois coups de gong; le père Sarrazin, sa sœur Madame Lecomte et Gilberte sa nièce, moururent comme tombent aux échecs le cavalier, la tour et le pion. Ces disparitions furent si soudaines et la famille agit avec une telle célérité (le père Sarrazin enterré à Saint-Jérôme, Gilberte et sa mère Dieu sait où en Beauce) que je n'allai même pas aux funérailles. À tous trois réunis, je fis chanter une messe au Gésu, j'y allai. Le soir, je retrouvais BB au restaurant et lui dis à quel point ces morts rapides et l'attitude de la famille m'avaient choqué.

— Je me suis porté acquéreur des manuscrits de Lavallière, me dit BB. Tu les veux?

Question de pure rhétorique. Avec lui, on apprenait vite à réagir en fonction de son humour à froid. Si j'avais accepté j'aurais, le lendemain, reçu la caisse de manuscrits avec un mot gentil et puis, pfutt! jamais plus de BB dans le paysage.

Inutile de répondre. Bien sûr que je les voulais. Mais à chacun ses trésors. Je me tus. Et puis, je me posai la question. Pourquoi BB avait-il pris la peine d'acquérir ce corpus? Avait-il au moins quelque valeur?

— Nous connaissons une cousine des Lavallière, me dit-il. Ou des Sarrazin, comme tu voudras.

— Et moi (pour ne pas demeurer en reste), j'ai beaucoup fréquenté, à un moment donné, Gilberte.

Je lui fis un croquis de mes rapports avec Plum Pudding. Je m'amusais maintenant de la rupture de nos relations, il n'en restait pas moins que j'avais admiré l'amour que Gilberte portait à son oncle. Et son dévouement!

— Son dévouement? BB n'en revenait pas. Il but d'une seule gorgée un verre de vin rouge, s'essuya les lèvres comme en méditant. — Michel Lavallière n'est pas du tout mort comme ça. Cette Gilberte t'aura raconté des balivernes, ou bien...

Je le laissai réfléchir.

— ... ou bien, elle s'est imaginé des choses, pour se donner le beau rôle, ou se faire pardonner sa négligence. Négligence? Son rejet. Peut-être avait-elle l'hôpital en horreur.

— Son frère?

— Celui-ci alors, parlons-en! Une lavette. Il connaît le nombre exact de crottins de cheval dispersés de par les rues de Montréal l'année où Fréchette est mort et il appelle ça «recherches historiques».

— Il appelait, BB.

— C'est vrai. De mortuis... Sa mort est-elle un événement historique?

— Tu es sévère. Indûment sévère.

Je tournais le fer dans la plaie, car je devinais l'anguille qui frétillait sous roche et voulais en savoir plus. BB éclata de rire.

— Je te connais bien, vois-tu. Calme-toi, je vais tout te raconter. Mangeons d'abord, parlons d'autre chose.

— Au cigare?

BB fit signe, de la main, que oui, au cigare. Le moment venu, il le découpa et l'alluma avec une déférence étudiée. Je devinai que ce serait le cigare du récit.

C'est par Yvonne que BB apprit que Michel Lavallière avait commencé à descendre la pente savonneuse. Très simplement.

— Tiens, j'ai rencontré Untel. Il m'a appris que Michel Lavallière était à l'hôpital. Il a commencé à descendre la pente savonneuse.

BB lisait Colette. Tout était vie autour de lui. Au moment où Yvonne interrompit sa lecture, Colette, de son œil jaune de lynx, détaillait Mata Hari et, sans doute, allait se demander si elle ferait un tour de danse avec elle.

— Michel Lavallière?

— Tu te souviens, Ristelhueber parlait parfois de lui, en aparté, dans ses cours. Tu sais, rue de la Parcheminerie.

— Ah oui! comme Villon.

— Comme Villon. Il s'apprête à aller le rejoindre.

— À quel hôpital?

BB retourna Colette sur ses genoux et nota les noms du malade et de son hôpital. Il enverrait des fleurs. Peut-

71

être même irait-il le voir. D'abord, téléphoner à la famille. La vie décide pour nous et, la plupart du temps, rien ne se passe comme nous l'avions prévu. Le jeudi était, dans l'esprit de BB, jour faste; il allait au cinéma, ou fouinait chez un libraire. Ceux-ci le connaissaient. Par exemple, ils recevaient de France une édition originale de Giraudoux. Valeur marchande: cinquante dollars. Ils la montaient à soixante-quinze dollars. Lorsque BB entrait dans la librairie, ils «cachaient» l'exemplaire quelque part, revenaient à BB, et, tout en lui faisant la conversation, l'entraînaient près de la cache. «Excusez-moi, un client» et le laissaient à sa quête de l'occasion. BB tombait sur le Giraudoux. Soixante-quinze dollars! C'est beaucoup. On discutait, on se rendait à soixante, cinquante-cinq. BB achetait. Était-il dupe? Il repartait, son Giraudoux sous le bras, fier comme Artaban (un Artaban qui aurait su lire) en se disant, oui, que le jeudi était son jour faste. Il adorait Jupiter, ce Dieu immense et assez lymphatique, son contraire, son frère.

Ce jeudi-là, dès son réveil, il eut le nom de Michel Lavallière en tête. Au bureau, sa secrétaire fit, au téléphone, le tour des hôpitaux, dégota le poète, déposa les coordonnées sur la table de BB. Ce bout de papier l'hypnotisait. Entre deux dictées, il le regardait, mais ne tendait pas la main vers lui. Sa secrétaire, qui le connaissait, riait: «Alors, monsieur, aurez-vous le courage d'attendre quatre heures? Surtout, n'oubliez pas de demander sœur Saulnier. Elle m'a tout l'air de celle qui fait tourner la machine.» «Comme vous ici», répondit BB. Il y avait entre eux un tel compagnonnage que parfois ils se demandaient s'ils n'avaient pas couché ensemble. Non, car BB était fidèle à Yvonne, qu'il aimait. Allez comprendre quelque chose à la nature humaine. Les frères de BB étaient comme lui, purs et fidèles.

À quatre heures, quel est cet homme élégant, d'allure sportive, un bouquet à la main, un livre de l'autre, qui marche d'un pas rapide vers l'hôpital? Celui-ci est un vaste immeuble de pierre, bâti sans continuité de style, autour d'une chapelle toujours fermée. Ce pourrait être une prison. Un caprice de la nature en a fait un hôpital. À l'intérieur, tout reluit. On peut déballer son sandwich dans les couloirs et le manger à même le sol. BB se dit que la guerre de Cent Ans n'a rien été à côté du combat éternel que mènent, de par le monde, les religieuses hospitalières contre la poussière. Il respirait l'odeur des malades, rendue comme métaphysique par le savon. Derrière un comptoir, une jeune fille lui sourit; derrière la jeune fille, penchée sur des registres, une religieuse en blanc.

— Sœur Saulnier?

La religieuse se retourna. Elle n'était pas belle, mais elle avait le teint frais et un grand nez ironique qui plut à BB.

— Je viens voir Monsieur Michel Lavallière.

— Pas de visiteurs, Monsieur. Nous avons des ordres stricts.

— Je ne savais pas qu'il était malade à ce point.

Silence.

— Je suis l'un de ses admirateurs.

La religieuse haussa les sourcils. Son nez s'affina. BB continua.

— Vous savez, ma sœur, que c'est un grand écrivain.

Il se présenta, ajoutant sa vice-présidence. Sœur Saulnier pensa aux dons possibles. BB sentit passer le courant des traitements de faveur. Il tendit une perche.

— Quel est son médecin?

— Ce n'est pas lui qui interdit les visites, c'est la famille.

— Ah! Voulez-vous faire remettre ces fleurs et ce livre à sa chambre?

— Il est en salle, répondit Sœur Saulnier.

BB ne comprenait pas.

— Oui, répéta la religieuse, en salle commune, avec les autres qui ont négligé de prendre une assurance. Et comme la famille...

— ... ne veut pas, ou ne peut pas payer? Je le prends en charge, ma sœur. Trouvez-lui une chambre double.

— Et la famille?

— Ne dites rien. Il y a toujours des accommodements avec le Ciel.

Sœur Saulnier sourit. Son nez se radoucit. Oui, il y avait là une source de dons. Dieu sait reconnaître les siens. Elle tendit un formulaire à BB qui y inscrivit son nom, son adresse, le saint-frusquin des riches qui, bien que riches, aiment donner.

Il suivit sœur Saulnier jusqu'à l'ascenseur réservé aux religieuses. Seuls, en tête-à-tête, elle lui dit que son geste, si généreux, était inutile. Michel Lavallière n'en avait plus que pour un jour ou deux. Le cœur était usé jusqu'à la corde qui avait cédé. Il souffrait beaucoup, c'est notre lot. Il ne savait pas qu'il allait mourir si tôt. La plupart du temps, il était comateux, remontant son drap, comme s'il voulait, à la façon des Anciens, se couvrir le visage. Parfois, il criait à tue-tête des choses étranges: «Reines de France!» ou un gargouillis, suivi de «minerie». BB expliqua à sœur Saulnier que Lavallière avait consacré un poème aux reines de France et qu'il avait habité, longtemps, à Paris, rue de la Parcheminerie. Elle opinait du bonnet. Cela n'avait aucune importance pour elle. La fondatrice de la congrégation à laquelle elle appartenait n'était jamais allée à Paris, où régnait, à l'époque de la Fondation, un certain Combes. Au mot Combes, l'ascenseur s'arrêta.

Ils se trouvaient directement sous le toit, qui s'étendait à perte de vue. Le plafond était strié, selon un dessin géométrique dont la perfection éblouit BB, de solives de chêne qui brillaient au soleil. On se serait cru au cœur d'un Piranèse heureux. BB remercia Michel Lavallière de l'avoir amené jusque-là, à cette découverte d'un chef-d'œuvre de l'esprit de géométrie. Il en fit la remarque à sœur Saulnier.

— C'est protégé, dit-elle.

Des lits partout, regroupés par ordre de dix, chaque troupeau blanc dans son enclos de panneaux de contreplaqué peint en blanc. Dans les allées, il y avait un va-et-vient incessant d'infirmières, de religieuses, d'internes, d'employés à chariots. On ne voyait aucun malade et BB eut l'impression d'être dans le décor mouvant d'une pièce d'où toute action aurait été bannie. Sœur Saulnier à ses côtés, en main fleurs et livre, il regardait s'agiter dans les couloirs des protagonistes sans intérêt dont l'un, de temps à autre, ouvrait un rideau blanc et disparaissait dans une alcôve. Cependant, des malades invisibles, qui se trouvaient, pour ainsi dire, au cœur de la fournaise, montait dans l'air et planait, à mi-chemin entre les planches de chêne du parquet et les solives du plafond, un son, une rumeur, une plainte qui, humaine à sa source, se faisait, à mesure qu'elle s'éloignait de ses origines, de plus en plus animale, grognement, borborygme, hurlement contenu, soupirs plus puissants que des cris, appels de la souffrance, comme une vague immense qui refuse de quitter les profondeurs et qui gémit. BB se sentit happé par ce monstre multiforme, présent jusque dans les recoins de son âme, fait de chair souffrante et de la protestation du genre humain contre son destin.

— Ce sont des pauvres, donc?

— Ici, tout le monde est pauvre.

BB pénétrait dans un hôpital pour la première fois. Il avait trente-cinq ans. En lui, les muscles s'étaient raidis, mollets, cuisses, dorsaux, la nuque droite. Seul le sexe s'était recroquevillé, pas question ici de l'absolu génitif. Dans sa crainte paléolithique, il se voyait pénétrant, pour la première fois, avec sa tribu, dans une forêt. Longtemps, les hommes avaient rôdé à ses abords. Certains avaient franchi la plaine grise qui la séparait des hommes, la hache de pierre à la main. Ils n'étaient pas revenus. Le Conseil des Anciens avait choisi un plus fort contingent, dont BB faisait partie. Lorsqu'il se glissa parmi les lianes, il ressentit la même impression qu'aujourd'hui, en cette seconde moitié du XXe siècle, en compagnie de sœur Saulnier. Il la regarda. Elle se présentait à lui de profil, la femme forte de l'Évangile, sa poitrine plate sous le corset, les joues propres d'une petite fille, la moustache d'un adolescent qui a honte de ses premiers poils, le nez de François Ier et cette force visionnaire de l'être qui a oublié qu'il a donné sa vie, tant ce don a été complet, une fois pour toutes, le cadeau impérial d'un être qui n'a qu'une parole. Il aurait peut-être même fait bon affronter la jungle en compagnie de sœur Saulnier! BB se souvint de la réplique de l'un de ses amis et rit presque en silence.

La femme de Georges lui reprochait un jour de ne pas lui dire assez qu'il l'aimait.

— Georges, tu ne me dis jamais que tu m'aimes.

— Aline, répliqua Georges, je te l'ai dit une fois.

Sœur Saulnier entendit rire BB.

— Ce spectacle vous fait rire?

— Non, ma sœur, mais il me rappelle une anecdote.

Il la lui raconta.

— Je ne vois pas bien le rapport.

Mais BB avait eu droit au regard profond, ironique et sage d'une religieuse de cinquante ans à qui rien n'échappait des jeux et des échappatoires des hommes, fussent-ils paléolithiques. Elle fit signe à BB de la suivre. Verrait-il Michel Lavallière? À quoi lui servirait-il de l'avoir vu? Dans l'allée, il collait presque à la religieuse. Des alcôves venaient des gémissements, des halètements, qui le suivaient. Les rideaux voletaient sur leur passage. Chacun s'écartait devant sœur Saulnier, créée et mise au monde pour respirer l'odeur des salles, y commander des bataillons. BB fut frappé, surtout, par l'inexistence des malades, absents tous, invisibles. Lorsqu'ils levaient les yeux, ils voyaient des solives.

— Où sont les malades?

— Au lit ou dans la grande salle du fond; les convalescents peuvent y aller lire, ou rêver, ou réciter leurs prières. Sœur Saulnier indiqua des deux mains, tout en marchant, les alcôves.

— Nous n'hésitons pas à leur donner des calmants. Elle parlait des malades comme d'une armée prisonnière, à la merci du général ennemi. Elle s'arrêta devant un rideau, l'ouvrit, entra. Six lits, la tête au mur. Elle se dirigea vers le dernier, près de la cloison, souleva la charte qui pendait au pied du lit, regarda, lut.

— C'est bien ça, Michel Lavallière. Une infirmière s'approcha. Les malades, dans les cinq autres lits, paraissaient comateux. Sœur Saulnier, d'un signe de tête, indiqua BB. L'infirmière disparut avec les fleurs et le livre. BB regarda Michel Lavallière. C'était un monceau de chair entre deux draps, tout rond, secoué de mouvements convulsifs. Les pieds gigotaient, les mains grassouillettes et blafardes, où luisaient des taches violettes sur des veines bleues, cherchaient à remonter le drap vers le menton. Le malade respirait mal. Il faisait le geste de chasser les tubes qui l'entouraient, comme des mouches. Sœur Saulnier trempa une compresse dans un verre d'eau et lui humecta les lèvres et le front. La masse gigota. Il en sortit des gloussements. Les bras s'ouvrirent tout grands, les mains potelées battirent l'air, un sourire erra sur le visage.

— Il appelle sa mère, dit sœur Saulnier. C'est classique.

BB contempla de tous ses yeux ce corps rond et fragile. Où était l'esprit? Voilà ce à quoi nous en étions tous réduits: au silence apocryphe de la morphine dont il reconnut soudain l'odeur dans la pièce. Tout y somnolait, la magie incantatoire de la drogue ayant endormi son monde. Un homme comme Michel Lavallière avait vécu pour la poésie, afin d'agencer des mots qui, sous l'effet de sa baguette, se transformaient en musique. Et le voilà réduit à la musique des stupéfiants. BB avait lu des récits de la mort de Verlaine, les cris des malades, la dureté des infirmiers, les potions. Il avait suffi d'un demi-siècle pour changer cela, pour que les moribonds, pauvres et riches, entrent tout crus dans l'ère du silence. Michel Lavallière se débattait sous ses yeux comme un gros ver. Le ver, en mourant, appelle-t-il sa mère? Lui-même, lorsque son tour viendrait, serait réduit, comme les autres, au nirvâna artificiel. «Quand on pense, se dit-il, que certains de mes amis accusent les bonnes sœurs de laisser souffrir les malades afin d'expier leurs péchés!» «Man — man — man» bafouillait le mourant, par saccades. Était-ce bien cela? BB tendit l'oreille. Au fait, c'était peut-être un bonbon que réclamait le poète. D'instinct, BB fouilla dans sa poche, rien. Il ne lui serait donc pas donné d'adoucir les derniers instants de Michel Lavallière en lui remplissant la bouche de nanan.

— La famille? Au moins...

— Nous attendons le père Sarrazin pour l'extrême-onction.

— Il viendra, il viendra. Ces dames sont trop sensibles.

BB comprit que sœur Saulnier méprisait la sensibilité raisonnée. Il dit:

— Pour ce que ça lui servirait.

Sœur Saulnier le toisa:

— Monsieur, avez-vous déjà entendu parler de la communion des saints?

BB se tut, assez stupéfait devant ce mélange de haute théologie et de pratiques médicales dures. Décidément, sœur Saulnier n'était pas quelqu'un d'ordinaire. Un peu bizarre, peut-être, dangereuse même, comme tous ceux qui aiment mélanger les genres. Mais ordinaire, non. Debout devant le lit, elle hochait la tête, les deux mains plaquées sur le ventre, immobiles, comme pour protester contre l'agitation vaine de celles du malade. Elle bougea.

Une infirmière surgit d'une trappe. Un regard de la religieuse. Elle revint, portant un plateau de métal recouvert d'une serviette. La sœur y prit la seringue, l'ajusta en l'air, comme un fusil de chasse, morphine, aiguille, injection dans la boule frétillante. Un gros bébé qui va mourir.

— Il s'agite trop.

Sœur Saulnier et BB quittèrent Michel Lavallière. Mais était-ce bien lui? BB n'avait pas lu la charte au pied du lit. Substitution? Attrape-nigaud? Pourquoi douter de la bonne foi de sœur Saulnier? Elle n'avait aucune raison de jouer la comédie. Et les fleurs? Elles iraient décorer quelque autel. Le livre? À la sortie, sœur Saulnier le lui rendit. Il était là, en évidence, sur le comptoir.

— Je ne crois pas que Monsieur Lavallière le lise jamais.

Elle regarda BB dans les yeux, nul cynisme, la constatation naturelle de qui ne craint pas la mort.

Il retrouva la rue, mit le livre dans la poche de son trench. Quel était-il, au juste? C'était l'édition Lemerre du *Paon d'émail*. Morin aussi était mort à la littérature. Où se trouvait-il? Le crépuscule était gris, comme la vie, comme l'écriture. Pourquoi certains hommes écrivent-ils? Pourquoi d'autres hommes, sans avoir reçu de la nature ce cadeau empoisonné, le besoin d'écrire, sont-ils attirés à ce point par l'écriture qu'ils ne peuvent vivre que dans le sillage des livres et de leurs auteurs? BB rentra chez lui en se posant ce genre de questions, auxquelles il savait qu'il n'y a pas de réponse.

III

Je reviens à moi. Après avoir entendu ces deux versions contradictoires, je me demandais lequel, de Gilberte ou de BB, m'avait dit la vérité. Gilberte avait joué le beau rôle, sans exagération, je dois le reconnaître, mais elle figurait, dans sa version, sous forme d'ange de la fidélité, ce qui n'est pas rien. Ajoutez le décor, la chambre lumineuse, les fleurs, le lit tout blanc, la mère qui tricote au chevet de l'oncle Michel, le va-et-vient des infirmières. Tableau touchant dont le personnage principal n'est pas celui qui s'apprête à connaître le bonheur éternel, mais bien elle, Gilberte, aux hanches et à la gorge pleines, réparant le désordre d'un bouquet. Cette scène, répétée chaque jour, exemplaire amour, respirait la richesse, le dernier acte d'une pièce bourgeoise: l'oncle écrivain, le prêtre, les femmes, l'argent, Dieu. D'une certaine façon, c'était trop beau, trop assorti au personnage Gilberte. Je la soupçonnais d'avoir inventé cette histoire afin de s'y donner le beau rôle, celui de la veuve qu'elle n'avait pu être, l'héroïne d'un merveilleux drame d'amour — la mort de l'être aimé — dont elle n'avait pu inventer, pour mon édification et mon plaisir, que le dernier acte, le plus beau, celui dans lequel elle pouvait donner sa mesure de femme et de comédienne.

BB, lui, n'avait aucune raison, ni d'inventer, ni de se mettre en valeur. Au contraire, le personnage qui prenait la première place dans son récit, c'était sœur Saulnier. À côté d'elle, il faisait figure de petit garçon, doté du sens de l'ironie, certes, petit garçon tout de même. Pourquoi aurait-il inventé? Pour le plaisir de raconter une histoire?

Pour démolir la version de Gilberte? Il ne connaissait ni Michel Lavallière ni ses parentes. Pour m'expliquer l'intérêt qu'il prenait aux éditions originales du poète? Par pur besoin d'échapper à la monotonie de sa vie, entre Yvonne, ses affaires et sa passion des livres? Je ne comprenais plus. Je décidai de tirer cette affaire au clair. Moimême, j'irais à l'hôpital, je verrais sœur Saulnier (mais n'était-elle pas morte?), je saurais qui avait inventé, ou menti.

Je me rendis donc rue de l'Hôpital. Combien d'années s'étaient écoulées depuis la mort de Michel Lavallière? Vingt ans? Trente ans? Son œuvre avait remonté la pente. De jeunes professeurs, les poumons à sec d'avoir trop chanté les louanges de la québécitude littéraire, avaient entrepris de remettre son corpus à jour. L'un d'entre eux m'avait même écrit. Il avait systématiquement dépouillé le carnet d'adresses de la nièce afin de mieux dépister l'oncle. Il se plaignit à moi de ce qu'un mauvais plaisant avait donné à Gilberte le mauvais conseil de confier les manuscrits et la correspondance de Michel Lavallière à la Bibliothèque nationale, avec interdiction de rien publier avant l'an 2000. Je ris sous cape, car j'étais ce mauvais plaisant. Trop de choses me paraissaient obscures dans l'œuvre et surtout la vie de Lavallière pour que son cœur soit si vite, et pour ainsi dire, à chaud, mis à nu. Les jeunes chercheurs qu'il m'a été donné de connaître m'ont toujours fait l'effet de chacals. L'un d'entre eux se rendit à Paris où il suivit Lavallière dans ses déménagements, jusqu'à son installation définitive rue de la Parcheminerie. Son logis avait été occupé par un Allemand, pendant la guerre. Rentrant chez lui, à Würzlang, il amena les papiers de Lavallière dans ses bagages. Le jeune chacal découvrit son adresse, le relança, le débusqua, incita la famille du poète à lui intenter un procès; bref, récupéra les papiers.

À l'hôpital, rien n'avait changé, sinon que les religieuses avaient vidé la place. Elles en avaient été chassées, presque honteusement, à la suite des inspirations de Jean XXIII (deuxième du nom) qui s'étaient traduites au Québec par des ruades antireligieuses suivies de l'éclatement des ordres et des congrégations. Tout cela à mon avis bien inutile, mais les enfants, pour devenir des hommes, ont besoin de briser leurs jouets. Le comptoir était là où l'avait vu BB, la jeune fille répondait au téléphone; derrière elle, penchée sur des registres, une femme d'âge mûr, de toute évidence, la responsable de ce service. Elle m'apprit qu'il me serait impossible, en tout cas très difficile, d'avoir accès aux dossiers. Sœur Saulnier? Il valait mieux s'adresser à la maison mère de sa congrégation.

Muni de ce viatique, je téléphonai à Grandchamp où ces religieuses hospitalières s'occupaient des cas désespérés. Ce fut sœur Saulnier qui répondit. «La sœur Saulnier?» dis-je.

Elle rit.

— Je suis devenue trop vieille pour poser des questions. Alors, je réponds au téléphone. Trois heures par jour. Le reste du temps, je trouve quelque chose à faire.

À son ton, je devinai que sœur Saulnier n'avait pas sans lutte abandonné le pouvoir. La lutte intérieure, elle, n'avait pas cessé. Elle cherchait à résoudre par l'ironie le problème de la vieillesse inutile. Le portrait que m'avait tracé d'elle mon ami BB correspondait au personnage dont j'avais entendu la voix. J'expliquai à sœur Saulnier de quoi il s'agissait, sans entrer dans le détail de la confrontation des versions Gilberte et BB; j'étais un chercheur (un autre!) qui préparait un ouvrage sur Michel Lavallière. Elle se souvenait parfaitement de lui.

— Je vous rappellerai. Comptez sur moi.

Il s'agissait, sans doute, d'obtenir l'autorisation de me voir. Dès le lendemain, j'étais à Grandchamp, au couvent Eulalie. Je fus surpris de constater qu'il s'agissait d'un manoir du XIXe siècle, transformé en lieu de retraite. Je le connaissais pour l'avoir souvent vu en photographie, chez un ami dont c'était la maison natale. Je le fis remarquer à sœur Saulnier.

—Détrompez-vous, me dit-elle, les gens ont beau jeu de se réclamer d'un lieu comme celui-ci. C'est une forme de promotion sociale. Cette maison n'a appartenu, avant nous, qu'à une seule famille qui n'est pas celle de votre ami. Ni, du reste, celle de Monsieur Lavallière.

Elle avait préparé son boniment.

— Quand on a amené ce malade à l'urgence, je ne sais trop pourquoi, je me suis sentie attirée par lui. Les infirmières ont de ces intuitions. Dans ma famille, nous sommes trois infirmières et mon frère dominicain a été missionnaire au Japon. Il a été mangé par les membres d'une tribu d'anthropophages à Bornéo.

J'eus un mouvement de recul. Sœur Saulnier me tapota la main, pour me rassurer.

— Oui, il y était en cure de repos et d'études anthropologiques. À l'époque, cela avait fait un certain bruit. Tout ça pour vous dire que, dans la famille, nous étions portés vers les autres. Votre ami était en bien piteux état. J'ai su, en le voyant, que la fin était proche. Ce fut aussi l'avis des médecins. J'ai fait prévenir la famille. Il avait un neveu dans les ordres, qui est venu aussitôt. Il lui a parlé, mais il avait son ministère qui l'appelait loin de Montréal, aussi ne l'avons-nous revu qu'à la fin.

— Mais sa sœur, sa nièce?

—Je crois bien, en effet, que des dames sont venues. Il est difficile à des femmes sensibles, peu habituées au spectacle de la nature humaine livrée à elle-même, d'entrer dans une salle où l'on agonise.

Elle me fixa des yeux, l'air sévère.

—Je vois que vous ne connaissez rien aux hôpitaux, donc aux hommes.

Sœur Saulnier avait conservé le costume de sa congrégation, mais simplifié, réduit à l'état laïque: souliers noirs, bas gris de filoselle, jupe et veste noires, chemisier blanc, voile gris à bordure blanche. Elle portait une croix au revers et une alliance à la main droite. Ratatinée, ridée, elle tremblotait légèrement des mains. Elle avait honte de cette marque de faiblesse et les tenait fermement croisées dans son giron. Son nez aurait été magnifique chez un souverain. L'âge l'avait rendu épique. Dans ce visage amenuisé, il était d'une force, d'une éloquence telles qu'il n'était pas ridicule. Par ce nez, sœur Saulnier dominerait toujours, au téléphone ou dans les besognes serviles, son entourage. Elle s'exprimait avec aisance, comme quelqu'un qui a réfléchi à ce qu'il va dire et elle prenait plaisir à s'exprimer longuement, à aller au bout de sa pensée, quel que fût le sujet. Elle éprouvait de la volupté à se souvenir, à revivre ces belles années de couloirs et de piqûres.

Peut-être ne parlerait-elle pas? Peut-être les jeux infinis de la mémoire lui suffiraient-ils? La vieillesse se repose en elle-même. Elle sait que le silence est tout. Pourquoi parler, raconter, arracher le passé au bloc du temps où il s'est figé? Il y avait, dans le visage de Sœur Saulnier, une concentration, comme si, une porte s'étant refermée, le drame qui se jouait dans la chambre close ne consistait qu'en regards, tics, gestes désespérément inutiles. Peut-être l'histoire, en somme banale, des derniers jours de Michel Lavallière faisait-elle remonter à sa mémoire d'autres incidents, des destins insignes et cruels dont elle avait été le témoin. N'allait-elle pas pleurer? Derrière la façade ironique et forte qu'elle avait présentée à BB se cachait (peut-être) le besoin de s'épancher par des pleurs, de raconter sa vie, de finir par ressembler à toutes les vieilles femmes? Son corps s'était raidi. Je la voyais à contre-jour, une vieille demoiselle dont la vie s'éteignait, qui s'était épanouie, comme une fleur baudelairienne, sur le tuf le plus ingrat, fait d'illusions, de pus, et de larmes. En la voyant, je me disais qu'ailleurs que dans un hôpital elle se serait racornie, elle aurait été malheureuse, toute charitable et bonne qu'elle eût pu être. Son nez puissant, ses vives narines exigeaient de la vie le seul tribut qu'elle puisse donner qui la dépasse, et c'est la mort. Elle l'avait eu, divin tabernacle, et maintenant, c'était elle qui allait s'effondrer aux pieds de Moloch qui réclamait le sang de ses veines. Ses mains tremblaient, car l'heure de l'offrande approchait.

— Ce que j'ai aimé en lui, d'instinct, c'est son inattention à tout. Vous savez, chacun sait, à un moment donné, que sa dernière heure est arrivée. Dernière heure, je pourrais dire dernières semaines. Soyons généreux, disons: mois. Peu importe. Il y a un signe, un déplacement d'air, une odeur jamais respirée, est-ce que je sais? Votre poète, en s'effondrant, ou en route vers notre hôpital, avait reconnu, en lui, la présence d'une douleur d'une autre espèce, qui ne pardonne pas. Une bête qui a faim, monsieur, à qui il faut donner à manger. Chaque jour, à ses heures.

C'était donc ça. Elle allait mourir, elle le savait.

Peut-être découvrit-elle une pitié dans mon regard. Elle rougit un peu et sourit. Un demi-sourire, l'esquisse d'un sourire, un sourire intérieur, ainsi qu'un salut à une réalité. Son visage n'en fut pas autrement changé. Elle respira et se redressa.

— D'où lui venait ce calme? Peut-être de la poésie. Peut-être, puisque vous me dites qu'il était poète. J'imagine qu'écrire des livres rend supérieur, invulnérable. Il se taisait. Vous me parlez de ses parents. Il y a longtemps de cela et je n'ai pas tenu un compte exact de ses visites, vous pensez bien. Deux choses sont certaines et je parle d'expérience. Il était de ces malades qui préfèrent souffrir ou guérir seuls; parfois même, mourir. Sans personne. J'en ai vus qui refusaient le prêtre. Jusqu'à des femmes. L'aumônier les bénissait de loin. Celui-ci est mort en paix. Alors, vous comprenez, ces dames! Je devine qu'elles ont du remords, après tout ce temps. Vous venez vérifier si leur parent leur en a voulu de l'avoir délaissé. Je crois que cela n'a eu, pour lui, aucune importance. Il pensait à autre chose. Ensuite, il a suffi qu'il entre dans la salle pour que les autres malades se liguent contre lui. Il parlait un français très pur, on voyait qu'il avait vécu en France. C'est à peine s'il a ouvert la bouche, mais ces choses se devinent. La chambrée a fait corps. Les malades sont ainsi, exacerbés par la douleur, les nerfs à fleur de peau, vite, dans une salle, ils forment un seul esprit. L'instinct du troupeau, qui joue aussi contre les médecins, les infirmières. Il y faut souvent une main de fer. Vous imaginez la révolte dans une salle de grands malades? Il faut les tenir légèrement assoupis. Votre ami a souvent été la victime de cette coalition d'ignorance et de jalousie. Sa seule présence, sa façon d'être le séparaient des autres. J'imagine qu'il en a toujours été ainsi.

— Oui, il a toujours vécu seul, à Paris comme à Montréal, mais en bons termes avec tout le monde.

Je parlais de Lavallière comme si j'avais été de ses intimes. Et pourtant, comment se faisait-il qu'aucun même de ses camarades de travail n'était venu le voir, en cette dernière extrémité? Sans doute se suffisait-il à lui-même.

— Tenez, l'infirmière passait et constatait qu'un drain s'était détaché. Quelqu'un le lui avait-il arraché? Chose certaine, il ne suscitait pas la sympathie. J'ai dû intervenir. Le calme est revenu, mais je n'attendais qu'une occasion pour le changer de salle.

— Un jour, notre visiteur apostolique nous rendit visite. — Elle baissa la voix. — C'était Mgr Charbonneau, alors archevêque de Montréal. Je dois dire qu'il aimait les malades. Sa visite durait toute la journée, depuis la messe du matin jusqu'à l'Ave Maris Stella. Ce jour-là, je l'accompagnais. Il allait de l'un à l'autre. Arrivé au lit de votre ami, toujours dans le coma, ou dans un délire vague, il s'arrêta:

— Il me semble que je connais ce monsieur, me dit-il. Je lui tendis la charte du malade. — Michel Lavallière? Ah! Oui, un Canadien à Paris, un écrivain. Il me remit la charte et me regardant droit dans les yeux: — Michel Lavallière. C'est quelqu'un. Il le bénit et continua sa visite. Le soir-même, je trouvai à votre ami une chambre à quatre occupants. Je devrais dire notre ami car je m'étais presque attachée à lui. Je lui au souvent parlé. Il ne m'a jamais répondu. Remarquez que nous avons été pris de vitesse. Michel Lavallière est resté chez nous à peine quatre jours. Trois peut-être. Je me souviens que nous avons dû très tôt appeler son neveu prêtre. Les dames? Sur cette interrogation, sœur Saulnier se leva et se dirigea vers la sortie. Je la suivis. Elle m'accompagna jusqu'à la porte, sans mot dire. Elle avait décidé de l'instant de mon départ et j'obéissais. Elle me tendit la main, une main qui ne tremblait plus. Sans doute, après une incursion dans le passé, avait-elle repris place dans le présent. Michel Lavallière avait été l'objet de ses soins; il ne l'avait pas connue. Familière de la mort, elle ne m'avait pas raconté celle du poète. En réalité, la seule mort qui nous intéresse, c'est la nôtre.

LE DIVERTISSEMENT

Le train s'arrêta. Gilbert regarda la campagne, blanche à perte de vue, où le regard horizontal se perdait jusqu'à la ligne bleutée de l'horizon. «Une heure encore de ce train avant d'arriver à Montréal», pensa-t-il. Le cœur lui manqua. Être immobilisé en rase campagne, par ce jour de décembre, quelle corvée! Il gratta la fenêtre du bout de l'ongle pour mieux y voir. Le ciel était d'un gris d'acier avec le soleil en plein centre comme une médaille d'argent ancienne, polie par les âges. Il remonta le livre qui lui glissait sur les genoux. Schopenhauer. Il en était à saint François d'Assise, à Ange Silésius, au cœur du non-vouloir. C'était le livre de chevet de Bellieu, celui qu'il citait avec complaisance. Et puis, Pascal. Vision naturellement tragique de la vie, sans pose, qui faisait de lui, disaient les critiques, le dernier romantique. Gilbert ferma les yeux derrière ses lunettes et sourit intérieurement à l'image de lui-même qui grossissait à vue d'œil, se gonflait, volait dans le wagon par-dessus les voyageurs et collait enfin au plafond, libérée, joyeuse, un peu ironique. L'ennui qui se dégage de l'humanité souffrante monta vers lui, ses narines palpitèrent, il en respira l'odeur, qui errait aux abords de l'âcreté, sans pouvoir se définir, car Bellieu l'avait dit: l'époque moderne est celle de l'indéfinition. Tout est réduit au vague. Nos contemporains s'agitent dans un univers aux contours flous. À l'imprécision du regard répond celle des autres sens; à l'imprécision du désir répond une pensée titubante. Il n'est plus besoin du bandeau de Descartes. L'homme moderne n'avance même pas masqué. L'univers qui se présente à lui porte le masque. «L'air même que vous respirez, disait-il, citant Corneille (Bellieu aimait ces allusions qu'il allait chercher, dégoter précisait-il, dans des poèmes obscurs d'écrivains célèbres ou au cœur de cantiques depuis belle lurette oubliés; ainsi, dans ses livres, toutes les clés étaient, comme celle du ciel, aux mains d'une mère, tous les asiles, pieux), est lépreux.» Au cœur de cet après-midi d'hiver, Gilbert se trouvait devant un paysage dont Bellieu avait souventes fois décrit l'atmosphère et les objets. Étendu au plafond, il respirait mal un air peu fait pour les sommets. Il redescendit à sa place dans le wagon rempli de vacanciers. Le train repartit.

Gilbert Lemuy était professeur dans une université modeste entre Québec et Chicoutimi. «De littératures française et québécoise» précisait-il, en regardant son interlocuteur droit dans les yeux. Il avait trente ans, une maîtrise québécoise et un doctorat parisien. C'est à Paris qu'il avait découvert l'œuvre de Bellieu. Il connaissait le nom, bien sûr, et avait lu quelques articles (collaboration spéciale) que Bellieu avait confiés à un journal intellectuel et bien-pensant (gauche caviar) de Montréal. Le ton lui en avait paru prétentieux. À cette époque, Gilbert n'aimait que Stendhal et le naturel poussé jusqu'à la manie. Le message de Bellieu était peu en accord avec son rêve de vie. Le monde se présentait à lui comme un éden à conquérir, dont chaque sentier menait à la joie. Il rejeta loin de lui les propos de Bellieu comme autant de Satan. Pourquoi être misanthrope lorsqu'on n'avait qu'à tendre la main pour cueillir un fruit? La vie à Montréal, au sein d'une famille qui voyait tout en grisaille lui avait appris l'art de s'y retrouver dans les méandres de cette immense tapisserie qui a nom la vie. La sienne ressemblait à ces courtepointes que faisaient nos grands-mères, d'une simplicité évangélique. Lorsque, à l'âge de vingt-deux ans, il arriva à Paris, Gilbert découvrit que le monde était d'une autre réalité. L'éden, constata-t-il, n'avait pas été tracé en ligne droite. Au collège, ses maîtres eux-mêmes n'avaient fait que renforcer en lui le dualisme rectiligne du noir et du blanc. Ils lui avaient appris à réfléchir, mais dans un univers de certitude. «Il faut lutter, lui disaient-ils, afin de l'emporter dans la vie», mais sans lui dire contre qui, ni pourquoi, en sorte que le soldat qu'ils expédiaient aux premières lignes ne connaissait pas le terrain. En somme, ce combat devait être facile, l'ennemi inconnu vite vaincu, le vainqueur couronné de sombres myrtes. Tout accord devait trouver sa résolution. Telle était la philosophie optimiste des Pères, curieux héritage de Pangloss. Gilbert ouvrit donc sur Paris des yeux d'enfant.

De nouveaux maîtres l'enseignèrent. Les faits, il les connaissait. Il ignorait la vertu de l'éclairage. Dans l'histoire qu'on lui avait apprise, le sang ne coulait pour ainsi dire jamais, et s'il lui arrivait de le faire, c'est que le destin cruel imposait au vainqueur de le verser. Heureuse finalité. Il apprit à surimposer au rêve la dure réalité, à l'aimer, à voir en elle la consécration du devenir humain. C'est alors qu'au cours d'une conversation avec un professeur qui lui parlait volontiers du Québec, pour y avoir vécu et enseigné, il retrouva Bellieu sur sa route. Il lut d'abord ses commentaires sur ceux de Monluc, que suivirent les *Réflexions sur l'utopie,* les poèmes tragiques, son roman d'apprentissage, *Le Beffroi de notre ville.* Il entendait monter une voix de ces pages, comme celle du père qu'il n'aurait jamais eu, grave, bien sûr, cérémonieuse, avec ces inflexions légèrement moqueuses que tous les lecteurs de Bellieu apprenaient à connaître et à aimer. Philosophie? Poésie? Essais? Œuvres construites selon une architecture à la fois troublante par l'appel d'une conception delphique de la vie et revigorante par l'élan unicitaire des formes. Gilbert n'en savait rien, sinon que cette voix pénétrait en lui, comme celle d'un prédicateur et d'un saint, qui donne à la nef sa portée véritable, les pierres ne s'appuyant les unes sur les autres qu'afin de permettre à ces harmoniques de faire éclater le monde, Savonarole au Dôme, Bossuet à Saint-Nicolas-du-Chardonnet, Lacordaire à Notre-Dame. Mieux encore, Gilbert reconnut dans cette voix autre chose et mieux qu'elle: cette métrique hachurée, troublante jusque dans la plus stricte ordonnance, ces palpitations du souffle, qualités de la diction qui n'appartiennent qu'aux artisans du verbe que l'Histoire a broyés, pour tout dire qu'aux victimes innocentes d'une conquête par les armes, et d'une cession. Gilbert, dans l'éclatement sémantique de Bellieu, se reconnut pour la première fois tel qu'en lui-même, enfant d'une conquête, épave que la mer, dans son innocence, rejette et qui sèche misérablement sur la plage d'un continent inconnu. Ce continent, Gilbert le baptisa la Désespérance. Ainsi, la pensée tragique de Bellieu correspondait à son timbre, aussi intimement liée à cette réalité que les imprécations de Cassandre le sont au désir de vengeance de Clytemnestre.

La mélancolie de la pensée parfaitement exprimée ne semblait pas suffire à Bellieu; il y ajoutait l'énigme de sa personne. Il était resté inconnu du grand public et même la camarilla des intellectuels montréalais, toujours à l'affût d'une physionomie nouvelle à jeter en pâture à sa médiocrité, par le truchement des journaux ou de la télévision, n'avait pu s'emparer du personnage, le triturer, en faire son jouet, pour, le jour venu, se moquer de lui, l'avilir, le jeter au ruisseau. Bellieu avait réussi à sauver sa dignité d'être humain. Il écrivait et se taisait, peut-être par l'effet d'une certaine hauteur, du mépris dans lequel il tenait ses contemporains et leur vaine tentative de récupération. Dans *les Marchands du temple*, il avait fustigé avec une ironie cocasse les vedettes de l'écriture française contemporaine, de conserve avec les Prix Nobel allemands, réduits à l'état d'ilotes au service de la puissance médiatique, destructrice de toute renommée. Dans son incognito, Bellieu n'avait de respect que pour ce Minotaure, comme Antigone ne respecte que Créon. Il ne discutait, au second plan, qu'avec la vraie renommée, essayant de démonter ses rouages, de la situer, en cette fin de vingtième siècle, dans le grand plan de l'évolution humaine. Bien sûr, il n'y parvenait pas, n'étant pas prophète, mais ses disciples discernaient dans la direction prise par sa pensée, dans certaines interférences stylistiques, la présence, encore à l'état larvaire, mais sensible à l'esprit respectueux des mots, du devin futur. On ne parlait donc de Bellieu qu'en termes de vénération et d'espérance. L'homme, cependant, se terrait dans son appartement, au dernier étage d'une maison du dix-neuvième siècle, rue Cherrier, quartier autrefois bourgeois livré aux prolétaires depuis un siècle. S'il se mêlait à la foule, c'était à celle du samedi, rue Saint-Denis, où personne ne pouvait le reconnaître, vêtu à la diable, le pas allègre, humant l'air de la grande ville. Il n'avait pas cinquante ans.

De Paris, Gilbert avait écrit à Bellieu, et l'ermite, qui subodorait le talent, se rendit compte qu'il avait affaire à un esprit de nature essentiellement critique: une intelligence qui, mise au service de son œuvre, lui serait de précieuse alliance. Il aimait soutenir que les livres n'avaient pas besoin de lecteurs; qu'objets spirituels, en dépit des apparences, ils irradiaient la pensée. Leur contenu se dirigeait d'office vers les esprits propres à le recevoir. Dans les bibliothèques, les lecteurs, épris de facilité, lisaient les ouvrages qui n'exigeaient d'eux aucune attention. Ils lisaient, objets sans le savoir de l'imprégnation des véritables livres, ceux qui, sur les rayons, attendaient, souvent en vain, l'esprit avec lequel ils pourraient dialoguer librement. Ainsi, dans les cabinets de travail de tout un chacun, Pascal ou Schopenhauer trônaient, livres qu'on n'ouvrait pas. Avec Platon et combien d'autres, ils n'en constituaient pas moins l'espèce pensante dont les innombrables auteurs du commun n'étaient que le reflet. Cela dit, Bellieu soignait (modérément, à bon escient, mais soignait) sa réputation. Il s'enquit de Gilbert à la Faculté des lettres. De cet étudiant sage, ponctuel, un peu lourd, incapable de faire une faute d'orthographe, le dossier universitaire chantait les louanges. Son instinct de philosophe (et surtout d'homme de lettres) aidant, Bellieu répondit plus que poliment à la lettre de Gilbert. Il numérota l'enveloppe et la copie de la réponse. La postérité, se dit-il, doit bien commencer quelque part. Cette correspondance devint une manière de monologue. Bellieu, sans pour autant entrer dans le détail de la vie de son esprit, la racontait à Gilbert, à grands traits, comme un homme assoiffé qui vide son verre, la tête renversée en arrière, les yeux fermés, tout à son affaire. Il s'appliquait, emporté par la passion sémantique qui se conjuguait dans ses lettres avec le besoin de livrer ses méandres intellectuels à un inconnu. Bellieu, il va sans dire, était célibataire. Aucune femme n'était entrée dans sa vie. Sa mère elle-même, avouait-il, il l'avait oubliée, et l'eût-il rencontrée dans la rue, à peine l'aurait-il reconnue. En réalité, il cachait à Gilbert que si, par miracle, il rencontrait sa mère, morte depuis vingt ans, son sang ne ferait qu'un tour et qu'il répondrait à l'appel de ses origines de tout son cœur. Il se précipiterait à genoux et baiserait l'ourlet de cette robe bénie. Enfant, il se cachait dans la garde-robe de sa mère et respirait à s'en faire éclater les poumons l'odeur des robes. Il entretenait Gilbert de choses intellectuelles et du destin de l'homme, dans le même esprit, sans savoir pourquoi il se laissait emporter, sinon par un besoin incœrcible, dont il connaissait la motivation mais qu'il préférait laisser traîner dans cette partie de son être qui servait d'humus à sa réflexion. Il se moquait de lui-même, mais n'en écrivait pas moins. Non pas qu'il craignît de s'attacher (intellectuellement, s'entend) à Gilbert, cet inconnu. Bellieu n'avait jamais aimé, ni femme ni homme, et ne se sentait heureux et libre qu'à l'intérieur de son camp retranché.

Pour tout dire, il adressait à Gilbert des lettres qu'il s'écrivait à lui-même, à ce jeune Bellieu qui n'était jamais allé à Paris, qui n'y avait pas fait d'études, qui n'avait jamais traversé les ponts, hésitant entre le Pont-Neuf et le Pont des Arts, ni n'était allé au Pavillon de Flore voir une exposition, n'avait jamais mangé rue Saint-Benoît (anonymat total et sans surprises). C'est à ce Bellieu qu'il écrivait, sans se poser de questions, ivre de ses découvertes, en somme, inspiré, comme tous les vrais écrivains, par son miroir.

Une fois ou deux, après avoir lu l'une de ces lettres, Gilbert pleura. Le grand homme lui écrivait, et sur quel ton! Non seulement comme à un égal, à un homme capable de comprendre le moindre battement de son cœur, la moindre séquence de sa pensée, mais comme à un frère qui serait aussi un ami. Il devinait que chez Bellieu le besoin de s'adresser à un inconnu était le plus fort. Peu lui importait, puisque cet inconnu c'était lui et pas un autre. Il eut la certitude que Bellieu n'écrivait qu'à lui, qu'il l'avait élu, peut-être parmi des milliers d'impétrants, dont certains pouvaient même habiter Montréal, que le Maître aurait pu rendre témoins de sa vie. Dans ses réponses, il s'épancha, ce qui plut à Bellieu. Cette effervescence lui permettait de choisir, parmi les sujets abordés par Gilbert au fil de la plume, ceux qui lui tenaient particulièrement à cœur, de les transformer en première mouture, de leur faire prendre leur premier élan vers le livre. Parfois, il s'amusait comme un petit fou jusqu'à être secoué d'un rire homérique, ne pouvoir s'arrêter, être la proie d'un vertige. Il se disait: «Je ne dois pas me moquer de ce garçon intelligent, sensible, épris de mon intelligence et de mon talent.» Il se calmait, poursuivait la phrase: «... car le génie est à lui-même sa propre récompense; car ce que chacun est de meilleur, il doit nécessairement l'être pour soi-même.» Et plus loin, dans la même lettre: «La jouissance est dans la création d'œuvres immortelles.» Gilbert, à l'époque, était plongé dans la lecture de Jean-Paul Sartre. Il n'y prenait de plaisir que médiocre, mais se laissait emporter par le flot universel des critiques admiratives. «Comment moi, humble Québécois, se disait-il, puis-je m'élever contre le jugement péremptoire des spécialistes consacrés par la presse française? Sartre crée-t-il des œuvres immortelles? Je n'en sais rien. Tout ce que je sais, le voilà: elles m'ennuient prodigieusement par le style, que je trouve à la fois abscons et oratoire et par les palinodies de l'auteur qui exige de ses adversaires une rigueur qu'il ne pratique pas lui-même.» Il avait vu Sartre à Rome, Piazza Navona. Le vieillard avançait péniblement, le coude soutenu par une boussole humaine, en l'espèce une dame d'œuvre, la bouche pincée, tailleur Chanel, l'air de sortir d'une conférence avec Monsieur le curé de saint Thomas d'Aquin, c'était Simone de Beauvoir. Le couple lui parut touchant et, en même temps qu'il s'apitoya sur le sort de ces deux êtres auxquels la vie n'avait pas envie de pardonner, lui vint un refus total des ouvrages, de l'évolution, de la personne de Sartre. Il se surprit à penser: «ce vieux schnock!» Oeuvres immortelles? Non. Gilbert se leva, se rendit jusqu'aux bords du Tibre, par l'Auberge de l'Ours, où avait couché Montaigne. Il regarda l'eau couler. Elle charriait des milliers de livres blancs, à baguette rouge, à lettrage noir, autrefois si célèbres, aujourd'hui semblables à des têtes réduites. Il fermait les yeux, les rouvrait. Le flot en apportait toujours d'autres, de nouveaux. Les noms des auteurs luisaient un court instant au soleil et puis, hop! la vague les emportait, ténébreuse et, par-delà l'écriture, immortelle.

Livres? On devrait plutôt parler de plaquettes. Le génie de Bellieu, destiné semblait-il à l'immortalité, avait le souffle un peu court. Sa pensée ne donnait sa mesure qu'à partir d'artifices de typographie. Il aimait parsemer son texte de caractères onciaux, comme si, maître fatigué de réfléchir, il s'amusait; ne pouvant le faire avec cette matière précieuse que les mots recouvrent et à laquelle, par leur agencement, ils prêtent fond et forme, il s'en prenait à l'apparence même de ces gnomes exquis, porteurs de signification. Il privilégiait ainsi certaines lettres, qui faisaient partie du jardin secret qu'il partageait avec ses véritables lecteurs, ceux qui puisaient dans son œuvre non seulement un système, ou une pensée, ou à la rigueur le simple enchantement qui naît du commerce avec un autre esprit plus disert, mais qui, mieux encore, avaient appris, faisant partie de son intrinsèque, à modeler leur sens du plaisir, ou leur humour, sur les siens. En sorte que certains de ses lecteurs, parmi les plus rompus aux exercices de sa sémantique du paradoxe, parfois se demandaient pourquoi, à telle page, dans telle suite, une onciale n'avait pas daigné paraître. Ils n'en étaient que plus charmés, y retrouvant une aguichante subtilité. Le Maître savait, de science certaine, qu'ils s'attendaient que la lecture leur offrît ce petit, infinitésimal plaisir supplémentaire; et bien non! dans l'admirable sagesse de son humour, de ce rapport ironique qu'il entretenait avec son public, le Maître avait haussé le sourcil. Ce plaisir sera pour plus tard, lorsque l'ascèse de la pure intelligence aura triomphé des désirs de l'œil. À l'époque dont il s'agit, Gilbert, lecteur de Sartre, n'était pas encore de ces hoplites. Reconnaissons que, parfois, ces allusions de nature parodique lui déplurent. Il les passait à Bellieu. Avec les années, il parvint à sourire de ces frasques, mais c'est à partir d'elles, à cause d'elles qu'il finit par abandonner le Maître et consacrer la fin de son âge mûr et sa vieillesse à la lecture de Spinoza. Pas question d'onciales chez Baruch!

Un an avant que Gilbert ne revienne à Montréal, Bellieu, dans ce même esprit de farce, d'attrapes et d'enfance, fit paraître son *Homo ludens* qu'il dédia à la mémoire de Huyzinga son maître et intitula, en hommage au sourire énigmatique de Gide, *Faites vos jeux*. Il y soulignait la noblesse de l'invention ludique et y joignait des poèmes, dont le souffle remplit d'admiration ses admirateurs les plus inconditionnels. On ne lui soupçonnait pas cette vision épique de la réalité. Bellieu ne concevait-il pas Dieu comme un merveilleux enfant qui, de toute éternité, n'avait pensé qu'à s'amuser? On Le voyait s'ébrouant dans l'espace incréé, tout à son affaire, comme un nouveau-né qui, dans son berceau, se regarde le pied pour la première fois. Mais ce Dieu était aussi le créateur de toutes choses, d'un infini ludique parce que renouvelable. Le destin de l'homme n'était-il pas, au cours du temps, de s'amuser à découvrir, peu à peu, cet univers, à lui donner un sens, à le présenter à l'Esprit divin surpris dans son essence créatrice même, revue et peut-être corrigée par lui? On découvrit en Bellieu un fervent de la Bible et des tragiques grecs. Le personnage du Narrateur prit dans son livre des proportions inégalées, semblables au guetteur qui du haut des remparts d'Argos, torche en main, cœur viril, au milieu des iouiou, surveille l'horizon jusqu'au retour d'Agamemnon. Et cependant, au cœur de l'élan sacré du poète, du coup de chance, Bellieu ne se départait pas de son côté pirouettes et Pierrot. Le héraut de la joie se changeait soudain en annonciateur de catastrophe. Son pessimisme reposait sur le rire. Il n'avait pas été en vain l'élève des Jésuites. Les Pères avaient misé sur lui. Dans *Faites vos jeux,* le sérieux, fait d'affirmation et d'un ton un peu sentencieux, n'apparut qu'au sujet de l'amitié. Bellieu confia à ses lecteurs le prénom et l'initiale du nom de son ami de trente ans, son camarade de cours, son confident, le Nisus de son Euryale, celui à qui il ne cachait rien. Dans son style même, s'adressant à Richard L., il y avait une fraîcheur, une jeunesse qui ressemblaient au tremblotement d'une goutte de pluie, au printemps, lorsqu'elle s'attarde au rebord d'un toit et se demande si elle va se laisser tomber. On devinait à ces propos les innombrables et amicales frasques dont s'étaient rendu coupables les compères, deux mains tenant une même lance.

Dans sa chambre de la cité universitaire, Gilbert suivait de près les évolutions de Bellieu à l'intérieur de son labyrinthe, signes cabalistiques qui lui faisaient l'effet des girations d'un patineur sur glace. Il se reposait de ses préparations de cours en trouvant, dans ces livres, les interférences, les thèmes, les analogies qui forçaient l'œuvre à l'unité. Il résolvait les ambiguïtés de cette pensée par l'ordonnance des données du bien et du mal dans une synthèse qui, par l'intelligence de l'action, réconciliait l'homme avec sa nature. Il ne pouvait y avoir d'incohérences, puisque tout tendait vers l'unicité du Plan. Mais, ce Plan, quel était-il? Sans doute Bellieu en décrirait-il quelque jour l'architecture. En attendant, l'homme — et singulièrement le lecteur assidu de Bellieu — ressemblait à l'esclave de Descartes, encore égaré dans ses chaînes. Gilbert se délectait de ces contradictions et imaginait l'œuvre future. Comme Valéry, Bellieu se rebiffait devant la grande œuvre, lui préférant les courts chapitres aphoristiques. Les lettres de Gilbert lui proposaient un esprit contraire du sien, apte à se complaire dans la vision totale des choses, parsemées dans le texte, comme des menhirs dans la plaine, mais dont la raison d'être pouvait être tracée en fonction d'un ordre qui, a posteriori, relevait de l'évidence.

Cette séquence d'écriture, de rêveries, d'admiration, d'ambition, de ludisme, expliquait la présence de Gilbert Lemuy dans le train Québec-Montréal, par ce jour de décembre. Pour la première fois, il allait rencontrer Bellieu. Il se réjouissait de cette rencontre, comme un enfant qu'on amène faire ses confidences au Père Noël, et pourtant, il la craignait. Il était au plafond, gonflé d'espérance, mais, de son observatoire, il voyait le monde tel qu'il était, dans sa médiocrité horrible. De sa jeunesse, Gilbert avait conservé la modestie. À l'université, il s'effaçait devant ses aînés, et même devant ses contemporains, par souci de politesse et par refus de toute bravade. Il ne se rendait pas compte que la politesse avait été guillotinée à la Révolution et que ses collègues tenaient la modestie pour la marque essentielle de la bêtise. Un jour où, dans une réunion, il refusait de faire son propre éloge, un collègue poussa le cri du cœur de tous: «C'est de la coquetterie!» Gilbert refusa de comprendre qu'on se gaussait, tant il était naïf. Il allait donc vers Bellieu, fier et la mort dans l'âme. Sa correspondance avec le Maître s'étalait sur huit années. Il serait donc le premier à percer le mystère de cet homme, que personne n'était sûr d'avoir vu, sinon les livreurs, sa femme de peine, et cet ami d'enfance, le mystérieux (lui aussi) Richard L. à qui il avait dédié son ouvrage sur le jeu, l'ironie, les frasques et leur signification profonde. Comment Bellieu le recevrait-il? Mieux encore, pourquoi l'admettait-il dans sa maison? Que sortirait-il de cette rencontre? Personne ne soupçonnait l'existence de leur correspondance. Qu'adviendrait-il de ces milliers de pages où la vie de la pensée, depuis un siècle, se trouvait résumée?

L'homme lui-même lui ouvrit la porte. Il était 16 h 03. Gilbert avait sonné, une porte s'était ouverte et s'était refermée sur lui. Après quelques instants, une autre porte s'était ouverte, sans bruit, donnant sur un escalier raide et cependant élégant, le mur recouvert de gravures de Chapront pour le *Là-bas* de Huysmans. Làhaut, le Maître attendait. Dans l'encadrement de la porte, Gilbert eut du mal à distinguer son visage. Il vit surtout une forme sombre et élancée, entendit une voix: «Bonjour Monsieur» — et Bellieu disparut à l'intérieur en faisant à Gilbert, du bras, le geste de le suivre. La pièce était immense, un mur recouvert de livres, et, devant ce mur, la table de travail avec sa lampe allumée, car les rideaux, qui donnaient sur la rue, étaient tirés. Bellieu, dans sa dernière lettre, l'avait prévenu; sa vue baissait, son médecin lui avait recommandé la pénombre. Gilbert s'apitoya sur le futur Homère. Il s'assit en face de Bellieu, un peu de biais. Il disparut à demi dans un immense fauteuil Voltaire, recroquevillé, lové dans les plis du velours grenat. Peu importait à Gilbert cette mise en scène. Il lui paraissait naturel qu'un homme comme Bellieu se dérobât aux regards, qu'il se complût dans sa coquille. Lui-même, Gilbert, était de naturel solitaire. De le voir ainsi comme acceptant une visite, il ne l'en admira que plus. Son esprit alla vers lui. Le cœur suivit. Bellieu parla.

Pour l'essentiel, il reprit ce qui se trouvait dans ses lettres. Mais il s'attarda sur lui, sur les curieux personnages qui avaient entouré son enfance, ce qu'il appelait ses «goyescas». Il s'exprimait avec une pudeur ironique, comme un être qui dévoile les secrets d'un autre, avec un détachement devant sa propre évolution qui fit à Gilbert l'effet d'une lecture de testament. Il admira cet esprit qui n'hésitait pas à s'engager dans de longues avenues de mémoire, à la recherche d'un bruit, d'une plante, de la musique d'un vent. Sa pensée, toujours élevée, palpitait comme un arc que la flèche a durci et dont les vibrations éclatent à l'intérieur du bois et de l'huile, complices de la main, du bras musclé, de ce vecteur que sont devenus les jambes et le dos. Bellieu, dès les premières paroles, avait adopté le ton discret du vieillard revenu de tout et que tout amuse. Il s'élevait au-dessus de sa propre expérience, ainsi que ces chefs de tribu dont la vie se fond dans celles de leur vaste famille, qui, parlant d'eux-mêmes, dressent le tableau d'une humanité. Bellieu ne faisait aucun geste et sa voix monocorde semblait réciter une leçon apprise, manière de dire à son interlocuteur que la grâce qu'il lui faisait relevait de l'immatérialité de l'esprit, qu'elle serait unique, qu'elle constituait à la fois un exercice, la répétition de quelque chapitre et une confidence, un chant dont la mélodie devait être oubliée aussitôt que perçue. Il parlait comme un homme qui sait que l'accord implicite de son interlocuteur lui est acquis. Il en arriva à leur correspondance. «J'ai trouvé en vous, dit-il, une âme frère, à qui je puis tout confier sans risquer de retrouver ma prose dans quelque sordide revue. Car j'envisage de faire paraître (mais quand?) ce journal double, puisque je constate que vous participez de plus en plus à son élaboration. La réussite de cette entreprise, que je place très haut parmi les miennes, m'amène à vous dire que je vous reçois ici par exceptionnelle exception. Je ne souhaite pas que nous nous revoyions. Non pas que je ne vous estime, le ton de mes lettres, et tout ce que j'y exprime, en sont le démenti. Je vous ai parlé de mon enfance, de mon milieu, de ce qui ne se trouve avec les détails ni dans mes livres, ni dans mes lettres. Si vous voulez, restons-en là. Selon la chair, disons-nous adieu.»

Bellieu se leva. Gilbert s'inclina sans mot dire. Il serra fort la main du Maître, en signe de respect et, à son insu, de compassion, car cette compassion n'habitait pas le cœur du Gilbert d'aujourd'hui, mais le cœur du Gilbert de demain, celui du lecteur, de l'interprète, de l'épigone de Spinoza, celui de cet homme qui, ayant dépassé le culte des images, quelque belles qu'elles soient, ou qu'elles aient été, s'engage résolument, de tout son esprit, de sa sensibilité d'homme fait, dans la solitude, cet homme qui a découvert l'enivrement de Dieu et surtout cette vérité qui n'est jamais en contradiction avec elle-même. En serrant la main de Bellieu, en s'inclinant devant lui et son œuvre, ces pavillons dispersés dans un immense jardin à l'italienne, Gilbert disait adieu à son passé. Mais il ne le savait pas. Tout au plus ressentit-il une sorte d'aporie, la certitude qu'il avait franchi un cap. Lequel? La mer autour de lui était calme, à l'horizon les voiles des bateaux tremblaient, gonflées dans le vent, la route était ouverte, l'espace libre au voyageur et pourtant, et pourtant, porteur de maléfices. Gilbert tourna le dos à Bellieu, traversa la bibliothèque, descendit l'escalier aux Chapront, se retrouva dans la rue. Sur le trottoir, il regarda autour de lui, à droite, à gauche. Il était cinq heures. Où aller? Marcher jusqu'à son hôtel? La vie lui parut vide de sens. Pour se donner une contenance, il glissa les mains dans les poches de son pardessus. Il y trouva ses gants. Inutile de les mettre, le soleil se couchait, il faisait sec et beau. Un Ronsard. Il ne se sentait pas d'attaque pour les regrets d'amour. Une vague rancœur montait en lui. Bellieu s'était-il moqué du pauvre Gilbert? Avait-il à ce point déçu? La précarité de son intelligence avait-elle remonté à la surface? Il avait peiné sur ses lettres, écrites après avoir été longuement méditées. «J'ai l'esprit trop court», se dit-il, et s'apitoya sur Bellieu qui, croyant rencontrer un alter ego, s'était trouvé en face d'un empoté, qui plus est, d'un empoté de trente ans. Gilbert avait le cœur gros. Certains revers de l'intelligence sont plus difficiles à supporter que des peines d'amour. Il resta ainsi sur le trottoir, désemparé, non sans se demander si Bellieu ne le regardait pas, derrière ses rideaux, les écartant pour mieux voir, pour mieux s'apitoyer. Spectacle dérisoire que celui d'un homme qui hésite parce qu'il a le cœur trop lourd et que la rue où il se trouve lui est inconnue.

En face de lui, sur la gauche, il vit le néon d'un café. Il y entra, s'assit, commanda un thé et un gâteau sec (un seul, pour la ligne) et se mit à rédiger le récit de son entrevue et de sa déconvenue. Un homme l'observait en souriant, qui se leva et se dirigea vers le téléphone de la caisse. Tout en regardant Gilbert, il parla dans l'appareil.

— Le gros blond qui est sorti de l'immeuble, est-ce lui?

— Oui, il est entré au café.

— Il est bien ici. Je l'ai sous les yeux. Bien joué, mon vieux Richard. Cela s'est bien passé? Pas trop éprouvant?

— Pas du tout. J'ai suivi tes instructions à la lettre. Je te raconterai tout ça.

— J'arrive.

Bellieu raccrocha et rentra chez lui guilleret, le sourire aux lèvres.

LE DERNIER AMOUR DE MALWIDA

I

Le consul de France s'ennuyait à Fou-Tchéou. Il pleuvait. C'était novembre. Le jour se levait à peine. Le jeune homme avait pris l'habitude de sauter à bas du lit dès avant l'aurore. Son boy lui apportait son thé qui parfumait la chambre. Le consul le buvait bouillant, à peine sorti de la théière. Les vapeurs lui montaient au visage. La première gorgée lui rappelait les ardeurs rêvées de la nuit, la force toujours vibrante en lui des amours. Parfois il s'étouffait tant la boisson était chaude. Il toussait, crachait le thé au sol. Chin Ti souriait et, d'un mouvement de prestidigitateur, déployait une serviette et nettoyait le parquet qui brillait de nouveau comme un soleil. Mais vite à la table de travail. Le consul est poète. Il le sait. Lui qui avait inventé un rythme, lié aux effluves de sa respiration, à l'appel des cloches, il s'est remis au vers classique. «C'est l'exil, pense-t-il. Une sorte de mort. Et toi pays! qui gît au fond de mon coeur comme une pierre dure et inaccessible, tant sont profondes les eaux, n'entends-tu pas ma voix?» Du Bellay allait d'un monument de Rome à l'autre en pleurant, adressant ses sonnets à des amis. Lui, monte en fin de matinée dans un palanquin. On l'amène aux portes de la ville. Il descend, fixe l'horizon là où se perd la ligne droite. Il marche.

Pendant une heure, deux ou trois, parfois l'après-midi entière, jusqu'à ce que le soleil, au loin, cligne de l'œil, il cherche à oublier les tracas de sa vie monotone. Il est heureux d'être au loin, d'avoir quitté la France, la famille, lui qui n'a pas d'amis. Mais chaque jour, que de criailleries, ces prêtres à soutane, chapeau et parapluie, qui n'ont à la bouche que ce mot de «mission»; ces marchands à ventre et à plombages d'or ou d'argent, ces ingénieurs du chemin de fer; il en a assez de cette tourbe, sans compter les femmes qui, reconnaissant en son regard les voluptés latentes de l'homme peut-être vierge, jouent pour lui du piano et de la croupe (il se renfrogne) immanquablement, de l'une aussi mal que de l'autre. Il lui reste, dans le hamac du jardin étique, la lecture de ces belles histoires qu'il va chercher régulièrement à la bibliothèque du Club anglais, Browning, son anneau et son livre, la vraie vie, secrète, domaine réservé dont il ne parle qu'en se moquant.

Partout, ce ne sont que rizières. La terre dont on dit dans les livres qu'elle est ronde, est ici plus plate qu'une crêpe. C'est à peine si, au loin, se dressent quelques collines, baptisées pompeusement montagnes par les mandarins. «Nos montagnes», disent-ils, et rêvent en vers d'y prendre une retraite studieuse, le pinceau à la main, l'esprit rempli de vin de riz. Le consul marche dans la campagne, empruntant les sentiers des paysans, dans la géométrie des champs. Il ne sait pas si la récolte sera bonne et, de plus, qu'importe, Chin Ti est là, grassement payé (le consul remarque ces détails, tous les détails qui ont trait à l'argent) afin que le consul puisse prédire l'avenir à ses chefs de bureau.

Il gratte le sol, lève la poignée de terre vers le ciel, implorant les dieux pour cette Chine où il s'ennuie, mais qu'il aime. Il sait qu'elle ne le quittera jamais plus, qu'elle colle à sa peau. Comme une femme. Hélas! la Chine n'est pas une femme, mais cette plaine immense à l'horizon trop souvent enfoui dans le tourbillon de lœss. Le consul enlève son chapeau et s'essuie le front.

Les paysans, qui ont pris l'habitude de le voir passer à travers champs, se redressent, mains soutenant les reins et regardent en riant le jeune homme, pataud, au front bombé, qui s'essouffle vite mais qui repart d'un bon pas. Le marcheur n'a cure de cette masse penchée. Il est à l'étranger, cela suffit. Voué à l'étranger de par ce choix qu'il a fait de l'exil, poète français au milieu des Barbares, se pliant à toutes les circonstances, mais infaillible dans les entremêlements de sa langue. Elle est son soutien. Le soir, jusque tard dans la nuit, il rédige de longs rapports qui se rendent péniblement à Paris. En ce début du vingtième siècle, il rêve à l'an 2000, lorsque tout ira vite, que les hommes auront dompté la machine, que les machines auront vaincu le temps, que la civilisation des villes sera en voie de disparaître. Il s'arrête et se dresse au milieu des rizières, comme une borne. C'est lui, le poète étranger qui, au centre de la Chine de l'Empereur, avec ses stèles et ses tombeaux remplis de statues, marque la distance et le lieu, comme Rimbaud, il y a peu, dans la noire Abyssinie, scrutait les contours du paysage, explicitait la syntaxe d'une géographie. Parfois, au milieu d'un vers qui n'en finit plus de respirer, le poète jette un coup d'œil par la fenêtre sur la cour où les pruniers embaument. Ce n'est pas cet espace clos qu'il veut voir, mais, par-delà la palissade, collant au ciel si vite aplati de la Chine, cette plaine qu'il domine debout en ce moment. Il est hanté par la surface plane, qui s'écoule dans l'espace, sans commencement et sans fin. Elle ressemble à s'y méprendre à l'éternité du vers, étale lui aussi, sans aspérités apparentes. Tout semble lisse et pur; mais qu'on y regarde d'un peu près, et que voit-on? Une lettre se détache, acte, geste, mouvement. C'est une famille de symboles qui s'organise en clan et, soudain, apparaît au regard étonné. Régler la forme et le mouvement de chaque consonne! quel rêve! Voilà ce à quoi songe le consul, à sa table de travail, les yeux sur l'horizon, ou, comme aujourd'hui, par ce jour de soleil, debout dans la plaine, lui conférant un sens, avec son couvre-chef qu'il s'apprête à remettre, droit sur l'horizon, ressemblant à s'y méprendre à un i, vertical, son chapeau levé qui est le point, attirant vers le centre du mot qu'il honore de sa présence rectiligne les autres lettres couchées qui s'agitent autour de lui comme une portée de chiots. La possession de l'espace est le seuil de la vision totale. Le consul revient lentement vers le rickshaw. Il y prend place et, sur le chemin du retour, s'endort, du sommeil lourd des pavots. Un adolescent court derrière le palanquin, un éventail à la main droite, un mouchoir dans l'autre; il évente le visage du dormeur et, à tous les cinquante pas, lui essuie le front. Dans son sommeil, le consul sourit, l'air béat, les lèvres entrouvertes, et, par la fente que fait la paupière à peine fermée, le boy voit le blanc de l'œil, qui luit. Ce qui fait dire aux Chinois que même endormi, le consul observe. Ses boys savent qu'il consacre les premières heures du jour à ses grimoires. Aussi l'entourent-ils d'un respect quasi mandarinal. Autrefois, dans les montagnes dont on aperçoit au loin le profil, vivaient des sages et des savants. Les paysans, se levant avant le jour, allaient, de par des chemins connus d'eux seuls, contempler ces grands hommes, presque des divinités, dans leur jardin. Ils paraissaient, seuls ou devisant entre eux, leurs manches en pointe traînant sur le sol. Et sur leur tête, sur leur habit, tombaient, selon les saisons, des fleurs de pêcher ou des feuilles jaunies, qu'ils respiraient en marchant. Ils glissaient entre les arbres, vêtus de soie lourde, s'asseyaient toujours à la même place, et se perdaient dans l'horizon. Ils étaient maigres, selon la parole du Sage: *Le nuage translucide laisse passer la lumière.*

Celui-ci, au contraire, il est gros, l'air d'un jeune taureau qu'on gave pour la saillie. Pourtant, lui aussi, comme les poètes du passé, se lève avant le jour. Lui aussi se promène lentement dans le jardin. Chin Ti fait signe à ses camarades. Ils s'accroupissent, soulèvent un peu le store de bambou, le regardent aller et venir. Alors que les sages chinois marchent en tenant baissé le front, lui, les mains jointes derrière le dos, relève le menton, regarde le ciel en face, avance vite, ralentit le pas, tape parfois du pied. Il ne réfléchit pas à l'avenir des esprits, cela est certain et les Chinois, bien tapis derrière la cloison, rigolent sans bruit. Ce manège quotidien les amuse prodigieusement. Le consul dialogue avec le Ciel, comme s'il en était le Fils. Ne serait-il pas sacrilège? On lui a vu tendre le poing en direction du ponant. Si le préfet l'apprenait, n'y aurait-il pas là matière à sanction? En hâte, les domestiques se relèvent. Chacun à son poste. Le maître va rentrer.

Le consul avait un esprit haut. De cette hauteur, il voyait s'agiter les conglomérats d'hommes. Il ne les méprisait pas, car il se savait l'un d'eux, mais s'attristait devant le spectacle de leurs errements. À Paris, il avait, jeune poète, fréquenté le salon de Mallarmé. Il admirait le Maître, dont, dans ses poèmes écrits en terre d'exil, il avait, toutefois plus baudelairien que mallarméen, tenté d'imiter la crépusculaire et autobiographique opacité. Au milieu de ses pairs, il avait compris que les humains sont partout, seront toujours, les mêmes, qu'il y a, en eux, un principe d'immobilité psychologique, qu'il n'y a rien à faire, qu'ils ne deviendront jamais autres que ce qu'ils sont. Seul l'âne de Hugo verra Dieu. Le jeune vice-consul acceptait cette imparité de l'humaine condition. Il avait le don de s'incliner devant le réel, de ne pas s'en offusquer. Sur ce réel, il voulait construire son œuvre, faite de la participation intime, dans un même élan, du besoin que ressent tout homme d'avoir les deux pieds sur terre et de l'aspiration vers autre chose. Aspiration? Plus qu'une aspiration, la certitude, gravée dans l'esprit, que l'homme est fait pour l'union avec la femme dans une stratosphère incréée. Ses amis lui reprochaient une boursouflure. Certains, et le consul connaissait leurs noms et gare à eux, plus tard, lorsqu'il aurait droit à la parole absolue, se moquaient de la véhémence de ses appels à un univers d'eux inconnu. Il y avait Gide, dont il fallait se méfier, pour sa hantise d'un langage à la pureté en retrait (il eût mieux valu que cet instinct de pureté se portât ailleurs que sur d'innocentes victimes); il y avait même Jammes, dont la simplicité (hélas! pas toujours de bon aloi) avait tendance à phagocyter tout l'espace des lettres catholiques; il y avait ce demi-dieu, Valéry. Avec lui, surtout, fallait-il compter, qui avait reçu en partage le don de vendre son âme à Renan, sous forme de poésie métaphysique, lui dont le sourire athée faisait des ravages chez ceux qui se proclamaient catholiques. Il va sans dire que le consul n'avait peur de personne. Sinon, il n'aurait pas quitté Paris pour ce trou perdu aux confins de la mer chinoise. Il serait resté à l'administration centrale, fort de l'appui de ses supérieurs. Il aurait lutté dans ce champ clos contre des adversaires dont la témérité aurait vite mordu la poussière. De son plein gré, il avait choisi l'exil, les pays étrangers, le service de la France en terre lointaine. De plein gré; pourtant, il ne savait pourquoi, il ressentait parfois, au fond de ce qu'il appelait depuis peu son âme, plus qu'une fatigue, un élan venu d'il ne savait où, une rage, le besoin de posséder le monde, de le posséder en le sauvant. Était-ce l'influence des missionnaires et des missions? Comme si la terre entière lui appartenait, n'avait été créée que pour lui, pour qu'il y mette la marque de sa main. Le coursier de Bonaparte avait foulé le sol de l'Europe, il avait voulu courir, par longues foulées, jusqu'en Orient. Lui, avec sa poitrine de lutteur, il était allé plus loin que le Corse endiablé. Ah! ce lœss! Le consul baissa la tête contre le vent. Il n'y avait pas à dire, la Chine charriait, avec son immémoriale sérénité, ses propres parfums. Dès son arrivée à Fou-Tchéou, on lui avait amené une femme. Une femme? Une enfant, qui s'était glissée sourdement dans sa couche. Le lit d'ébène et de bronze était bas sur pattes, comme son occupant. L'enfant était si fragile qu'elle semblait ne se mouvoir, ne se soutenir même, que par la volupté de son parfum. Un seul, le sien, celui de sa peau blanche et de sa minuscule haleine chaude. Le consul ne l'avait pas entendue. Elle était entrée dans la chambre avec la brise qui agitait les stores de bambou. Très vite, profitant de la torpeur du dormeur éveillé, elle s'était étendue sur lui, recouvrant son corps puissant et prêt à la course de ses membres graciles. Une plume! Le consul sourit. Elle prétendait le posséder, le dominer, s'emparer de sa carrure puissante et déjà grasse. Elle respirait sans bruit et sa bouche se posa sur la sienne. Il la tint dans ses bras et laissa les lèvres de l'enfant, sa langue rapide, faire leur miel. Il caressa ses cheveux, la regarda dans les yeux. Il ne l'aimait pas, il n'aimerait jamais ce rayon de plaisir, mais, de toute sa vie, il n'avait vu plus belle créature humaine, ni respiré plus subtil parfum. À l'unisson de son cœur, son sexe battait. Ainsi, il posséda cette enfant qui le possédait et qui, aussitôt après l'amour, dormit contre sa poitrine. Lui ne dormit pas, au cœur du vide parfait. Au matin, elle se leva, se coiffa, remit sa robe qui fit, en glissant sur son corps, un bruit de sifflement. Pas un mot. Il ne la revit plus. Cadeau du gouverneur? Il avait possédé le monde de toute éternité. Cette enfant le lui avait rappelé.

Il sourit de nouveau, au milieu des rizières, car, ô sacrilège!, le corps de cette petite fille avait été son âme.

Et puis, il n'y pensa plus. Il aimait ce travail qui l'exaspérait, le bureau, les visiteurs, la certitude si enrichissante d'être ici le représentant total de la France totale. Il croyait à la République et il était catholique. Mieux encore, ennemi de Maurras et catholique pratiquant. Berthelot lui disait, en riant, comme il aimait rire, franc et plein de sous-entendus: «l'un fait passer l'autre.» Le consul souriait patiemment en direction binaire du passé et de l'avenir. Il aimait la France, la femme, l'argent et la renommée. «En somme, se disait-il, je suis un homme complet.» L'était-il? Depuis un certain jour, à Notre-Dame, près d'un pilier qu'il pourrait aller toucher de la paume, les yeux fermés, en direction de la sacristie, il s'était senti appelé par une force qui échappait aux catégories de Berthelot et de son clan. Il se savait choisi par le Verbe à l'intérieur du Verbe, pour énoncer l'ineffable. Paul? Tarse? Il se savait aussi possesseur de cette foi qui avait terrassé l'illustre ennemi du Christ, et cette foi avait remporté la plus grande victoire de tous les temps. Bien sûr, il y avait eu le grand cri sur la Croix: Éli, Éli, et puis, le don des langues; enfin, la route poudreuse de Damas. Trois étapes séminales du vrai et du vivant. La France, la femme, l'argent, l'immense réputation que seules peuvent donner les lettres! Depuis qu'il avait été, à son tour, terrassé près de ce pilier, le consul savait qu'à la France s'ajoutait le monde; à la femme, ce désir violent de posséder la différence incommunicable; à l'argent, la lueur transcendante de l'Or; au pavois littéraire, le besoin de disparaître dans l'étendue cosmique du Verbe. Lorsqu'il s'éloignait de lui-même, qu'il regardait la géométrie de son existence, il constatait que plus il s'éloignait du rébus que constituait sa vie, plus tout y devenait simple. C'étaient les notions d'autrefois, dans leur facilité apparente, qui se muaient en dédale. Il ne pouvait même plus y pénétrer. Que serait-ce d'y échapper? Il avait cru que seul le pouvoir le sauverait, se substituant à lui-même. Il s'était inventé un héros, jeune comme lui, fort, prêt à tout braver pour étendre son empire et ceindre couronne et princesse, un héros qui serait un personnage de Mæterlinck, n'était l'étendue de la voix et les appels rauques du mâle, ce que Mæterlinck n'était pas. Il rit dans sa barbe, Mæterlinck mâle! et continua sa promenade dans les champs lourds d'eau et de pousses. Il aurait aimé s'apitoyer sur le sort des paysans chinois, il ne les voyait pas travailler sans une amertume, mais qu'y faire? Un thème prenait naissance dans son esprit.

C'est pourquoi il allait et venait chaque jour dans ces étendues à perte de vue. Le gouverneur ne voyait pas ces sorties d'un bon œil. Il lui en avait touché un mot, par le truchement d'un interprète souriant. «Monsieur le consul, comme mon maître serait heureux, un jour, de vous appeler Excellence. Mais cela sera-t-il jamais possible si la réputation que vous avez parmi nous, si noble, si amicale, se trouvait entachée de l'idée même lointaine que vous suiviez de trop près ce qui se passe ici? Ces promenades, par exemple, à quoi servent-elles? Nos mandarins se promènent-ils hors de chez eux?» Le consul avait compris qu'on allait bientôt le taxer d'espionnage. Des rapports suivraient. Il avait demandé au gouverneur une escorte. Cela avait arrangé les choses, dans l'immédiat. Il se retourna, regarda les trois soldats assis au bord du talus, qui fumaient. Il n'y avait rien à faire, les Chinois ne changeraient jamais. Il rentra.

Cependant, l'exil avait aussi son charme. Son œuvre en porterait la marque. Ce serait celle de la nostalgie, du besoin d'une autre chose que ressent le cœur, de l'ouverture sur un autre monde. Dans son bureau, au milieu des objets chinois, si proches et lointains, il rêvait parfois à cette Amérique où il avait cru mourir d'ennui, à ces continents restés vierges malgré les siècles de présence européenne, à ce que cela représentait; dans l'ordre des choses, la conquête de l'Amérique ne pouvait que symboliser le mariage de l'homme et de la femme, cette aspiration de toutes choses à s'unir dans l'harmonie préétablie des complémentaires. Harmonie conçue dans le ciel, impossible à parfaire ici-bas. N'était-ce pas cela, ce mal dont il avait parlé dans un poème, cette incapacité de l'homme à atteindre cette part en lui qui est la femme? Le consul, la plume à la main, décrivait, dans un rapport destiné à la section économique, les voies de communications commerciales qui vont du nord au sud de la Chine. Dans son esprit, ce réseau se transformait en filet qui recouvrait toutes les variations de l'âme; non pas que l'écorce et ses aspérités, mais la tessiture du treillis lui-même. Il y avait les fils, fortement ancrés les uns aux autres, mais aussi la répétition tout aussi organique des trous, reliés par la liberté de l'air. Le consul se réjouit de ce que les vides jouaient dans les rapports entre les hommes un rôle aussi important que les pleins, la femme absente et présente. Il revint à l'Amérique, à laquelle il pensait d'autant plus qu'il était en Chine. «C'est l'une des singularités de ma nature, se dit-il, que cette nostalgie du pays où je ne suis pas. En Chine, j'ai la nostalgie de l'Amérique; si j'étais là-bas, je ne penserais qu'à l'Orient et à ses secrets effluves.» L'odeur de ce corps jeune lui remonta aux narines, elle lui rappela celle, envoûtante, du cinnamome, dont il s'était rempli les narines, à Ceylan, voluptueusement porté par le pousse-pousse, dormant et s'éveillant selon les caprices de la brise marine. Jamais il n'atteindrait à la connaissance de la femme! Il en ressentit au cœur une douleur profonde, comme si sept épées entremêlées s'étaient enfoncées en lui. La certitude de cette incommunicabilité l'obligea à se ressaisir. Il marcha de long en large, comme un prisonnier dans sa cellule toujours trop petite. Le monde lui était cette cellule, dont il ne réussirait jamais à s'échapper. Ne lui restait qu'une solution, qui était de se donner corps et âme à son œuvre, à cette plante en lui qui voulait croître infiniment, jusqu'à dominer toute sa vie. Écrire, exprimer cet ordre et ce désordre qui formaient cet homme, jeune, fort, aux allures taurines, qui marchait, à pas rêveurs, de long en large, dans ce cabinet de travail, heurtant un meuble ici, essayant là de lire un rapport, se sachant épié par quelque domestique à la solde du gouverneur, cet homme dont le cœur battait trop vite. Il sourit quand même, car il se vit soudain, comme du haut des airs, en proie à cette émotion sauvage. Il aimait encore rire, mais il savait que, peu à peu, le génie prenait le dessus et qu'il deviendrait imbuvable, carriériste puant, que fuiraient ses collègues et que ses subordonnés haïraient un jour. Berthelot l'avait mis en garde: «Vous aurez des ennuis. Gare à l'argent, à la Femme, à la volonté de puissance, je sais c'est le nerf de la guerre, mais là où il y a nerfs, il y a aussi guerre et qu'est-ce que cela veut dire? Des ennemis, des attaques sournoises, la statue qui soudain s'écrase au sol dans un nuage de poussière et tout est à recommencer.» Ainsi avait parlé Berthelot, ce sage qui avait, en ami, hérité du sourire de Renan. Renan l'avait hideux, lui, fraternel.

Pour tout dire, le consul, brillant sujet, écartelé entre la carrière et la littérature, interrogeait l'avenir. Il regardait le jour se lever, le soleil papilloter entre les lattes des stores, ses rayons peu à peu s'étendre jusqu'au bout luisant de ses pantoufles. La propreté n'était pas son fort et il lui paraissait que son style se revigorait, chaque matin, des effluves de son propre musc. Il savait que son horreur de l'eau lustrale (héritée de Mallarmé) étonnait son boy qui, après les trois heures d'écriture, lui préparait d'office un tub fumant, se présentait tout en courbettes pour l'inviter à se dévêtir, à pénétrer dans les vapeurs chaudes. Le consul n'accédait à ce désir qu'une fois par semaine, en hommage aux usages du Tardenois. Il avait honte de présenter au regard en amande son corps nu, blanc, soudain centré sur sa virilité. Il le faisait pourtant et ne dédaignait pas, étendu dans le tub, de se faire frotter le dos avec une rudesse et une force qui tranchaient sur la fragilité du desservant.

Trapu, le consul avait le poil noir et dru. Les cheveux lui collaient au crâne, formant casque. Sa nuque était celle d'un paysan, d'un maquignon disaient ses rivaux. Cette caractéristique était renforcée par ce tic qu'il avait de foncer, tête baissée, sur son interlocuteur, le bras droit s'élevant comme pour décrire un moulinet (ou pour frapper), cependant que les jambes, solidement amarrées au sol, ne bougeaient pas. On aurait dit que le consul attendait un geste, une réponse du matador prisonnier de son geste. Mais il n'y avait pas de matador. Les rivaux, afin de lui nuire dans l'esprit de ses supérieurs, l'amenaient à se découvrir. Cependant, l'homme était intelligent et, peu à peu, avait appris à dominer ses feintes, qu'il remplaçait par un retrait de son énorme cou dans le col de sa chemise et la fulguration du regard. Mallarmé lui avait enseigné l'imperturbabilité, l'art du masque chinois. Le poète, le Maître, lui, aimait se tapir derrière un nuage de fumée, pipe ou cigare. Le consul, qui avait en horreur l'usage de ces dérivatifs, avait dû apprendre à contrôler sa musculature, à retenir l'élan qui, de la colonne vertébrale, trouvait sa résolution combative dans la nuque et se répandait sur sa face en suffusions cutanées. Ce triomphe de la volonté avait, au fond, assez peu d'importance puisque son interlocuteur prenait conscience, même dans l'immobilité, de la puissance d'agression qui se terrait en cet homme. Certains, au Quai, se réjouissaient des dons littéraires ostentatoires du consul, qui canalisaient ce qui se trouvait en lui de cruel, d'insane. On savait qu'il n'avait pas condamné du fond du cœur les poseurs de bombes et anarchistes; à l'instar en ceci de nombre de ses confrères en écriture savante. Il y avait donc en lui, lové parmi les replis de l'intelligence et d'une sensibilité dévorante, un danger, un signal qui parfois clignotait et faisait peur. Il était en Chine, bon. La pensée de ses supérieurs était la suivante: éloignons-le, qu'il se perde dans une Chine où se confondent la matière et l'esprit, au milieu d'un peuple infini, donc lâche. Il s'y débridera, écrivant de longs rapports, cherchant à comprendre et, en dernière analyse, n'ayant pas compris. Rien ne rend plus doux qu'un travail prolongé et vain, qui use les forces vives. L'inutilité d'une longue présence dans les remous de la plaine, au bord d'une mer sale, parmi des étrangers à l'âme marchande, fera du taureau un agneau.

Les supérieurs avaient eu raison. Le consul se décantait. Signe du résultat positif de ses réflexions, il prenait maintenant deux bains par semaine et faisait semblant d'ignorer que Chin Ti changeait chaque jour sa chemise.

Son visage, cette rencontre fortuite d'os, de cartilage, de chair, était dominé par un front lisse et pur, sa muraille de Chine, impénétrable, que rien ne pouvait déranger, qui jamais ne se plissait. Et sous le front, des arcades sourcilières avançaient délibérément, comme pour protéger les yeux. Les yeux? Le regard a le sérieux de l'homme qui travaille chaque jour et qui sait pourquoi; il a les reflets d'une pensée qui cherche de nouveaux continents à pénétrer, des échanges, des commerces, il a les reflets de l'or, du numéraire, des banques, les reflets d'une table dressée avec ses couverts et son argenterie qui brille, les reflets d'un monde stable et cependant en quête, toujours, de lui-même; il y a du rêve, de la spéculation, dans ce regard, non pas la seule spéculation des impondérables, mais celle aussi, surtout, peut-être, du jeu, du risque, du besoin, soudain, des foucades, des abandons, des départs, des recommencements. Dans sa diversité, ce regard a quelque chose d'impassible, d'aussi définitif que la mort. Ou la vie. Ou les deux, vie et mort conjuguées en ces yeux dont la fixité orageuse fait penser à ceux du dragon.

Chin Ti, qui voyait le consul nu, était chaque fois étonné par ce corps dru de paysan, qui ressemblait, dans sa blancheur nacrée, à celui d'un Chinois, et cependant nerveux, mobile, où la vie tressaillait sous la peau, par vagues de sang. Les Chinois reconnaissaient en lui cette formidable vanité, cet inexpugnable orgueil qu'ils portent en eux-mêmes. Son regard disait à qui savait regarder, échanger avec lui le secret des choses: Que ma volonté soit le destin! C'est pourquoi on pouvait lire aussi en lui une telle tristesse, l'interrogation essentielle: Y a-t-il une question? Quelle est la question?

Il aspirait à l'âme d'un Dieu.

Voilà ce qu'on ne savait pas, autour de lui, obnubilé qu'on était par l'apparence qu'il donnait d'un homme dévoré, cuit et recuit dans sa bouilloire, par ces cannibales, l'orgueil et l'ambition. Être incompréhensible s'il en fût, à lui-même d'abord, comme aux autres, après. Lui d'abord, les autres loin derrière sur la voie royale de l'expression de l'univers en soi et de la Beauté. En Rimbaud, voilà ce qui le galvanisait, ce qu'il lui enviait: il avait, jeune, à peine pubère, éclatant des mots de l'intérieur, assis sur ses genoux la Beauté, l'essentielle essence, qu'on appelle Beauté faute de lui avoir trouvé un nom, le Nom femelle, l'aspiration vers l'absolu, l'inéluctable émanation du réel.

C'était là l'homme, tout d'une pièce et divers, semblable à la tunique du Crucifié, dont l'unicité et la multiplicité confondues avaient empêché la déchirure. Il était à lui-même ce lien fictif, spectateur et acteur, prenant ses poses devant le miroir et fidèle à l'appel qui, chaque jour, retentissait en lui. «Ô âme sœur!, clamait-il, viendras-tu me délivrer?» Il se voyait en mâle angélique, attaché au rocher, sauvé par une femme ardente et pure. N'était-ce pas là le secret de son être? Derrière la force apparente, l'empire qu'exerçait son œil — et tout cela faisait peur autour de lui, en sorte que Chin Ti qui avait contemplé sa nudité, qui savait aussi bien que quiconque à quel point il était un homme faible et qui, donc, aurait dû rester insensible, ce boy lui-même, tremblait en sa présence —, un enfant-femme appelait sa mère, un homme prisonnier des puissances aspirait à la délivrance qui lui permettrait de prendre son envol, de quitter les plaintes du conquérant du monde et les pleurs sacrés de la Princesse, pour entrer dans son propre Royaume.

C'est alors qu'il reçut la lettre, que lui remit Chin Ti, ce messager.

II

À la fin de juillet 1898, Malwida von Meysenbug retrouva dans ses papiers une lettre de Nietzsche, la dernière qu'il lui eût adressée. Le poète s'y attardait sur sa solitude, sa souffrance. Lui, le premier écrivain allemand, réduit à mendier une parole, un compliment, un clin d'œil, un salut. L'ombre vulgaire de Wagner se profile derrière les lamentations du Zoroastre. Malwida ressentit le désespoir de Nietzsche. À la fin de sa lettre, il faisait allusion aux mémoires qu'elle venait d'écrire, fruits d'une vie consacrée à l'idéalisme, à l'amour des semblables, à la recherche du beau et de la vérité, à la défense de l'Art. Dans la querelle qui avait dressé Nietzsche contre Wagner, elle avait voulu rester neutre, comme une Sabine les bras étendus entre deux guerriers. Mais il lui avait fallu choisir et elle avait, un peu contre son gré, choisi Wagner, à cause de l'accueil chaleureux de Bayreuth, et des enfants. Aujourd'hui, dans l'ombre de son salon, vieillie, fuyant la lumière, elle se demandait si elle avait eu raison, si le génie ne se trouvait pas, avec la vérité, du côté de Nietzsche poseur de questions, plutôt que de celui de Wagner qui, sur un plat rutilant, servait au vulgum les réponses consacrées. La question était d'importance, car Malwida von Meysenbug savait qu'au fond d'elle-même, elle choisirait toujours les hommes de réponse, les affirmatifs, les forces. Elle avait un tempérament ondoyant. «Une liane», disait déjà son père, lorsqu'il daignait lever le nez d'un dossier de premier ministre. Il souriait alors et son sourire se perdait dans ce qui, pour Malwida, restait la lumière grise de l'Allemagne.

Elle avait choisi de vivre en Italie, à Rome plus précisément, dans un quartier populaire, parce qu'elle y avait trouvé ce positif, ce naturel qui frappaient de plein fouet sa peau énervée, indécise, de femme du Nord et tout en os. En somme, elle reprochait à Nietzsche de lui ressembler comme un frère, ondoyant lui aussi, abstracteur de quintessences, une jambe en l'air, sautant d'un pic à l'autre dans ses chères Alpes; mais aussi, pantelant de milliers de piqûres d'épingle, admirablement sûr de lui et de son génie. Il était ce qu'elle aurait pu être, née homme, la tête pleine d'idées saugrenues et immortelles.

Pendant quinze jours, elle avait porté cette lettre sur son cœur. Elle entendait, lorsqu'elle se penchait, le bruit du papier léger qui se froissait sous le corsage montant. Alors, elle souriait en pensant à Nietzsche, qui hésitait entre Sils et Turin. Pourquoi ne pas lui écrire, l'inviter à Rome? Elle s'était ainsi tâtée quelques jours, le temps avait passé, Nietzsche avait suivi son destin, entre mère et sœur, aujourd'hui, immobile dans son lit, ces deux grandes ombres vues du coin de l'œil, qui entraient dans la chambre, tournaient autour de lui, se penchaient en murmurant on ne sait quoi, tapotaient les draps, faisaient peur. Malwida se précipitait alors dans sa chambre, respirait des sels, ouvrait le tiroir qui contenait les dernières lettres, écrites par le loup solitaire et vieillissant, à qui la vie avait coupé la queue. Et les livres! Elle les regardait sur l'étagère, les yeux à demi fermés, ces livres chargés d'éclairs et d'imprécations, porteurs de la culture vive de l'Occident. Elle avait de plus en plus de mal à les lire, prise par le drame qui se jouait en elle, de ces deux êtres fous et amoureux, qui conquéraient le monde faute de pouvoir se dominer.

Dans ses *Mémoires*, elle avait voulu laisser aux hommes le témoignage des idées qui avaient dirigé sa vie et lui avaient donné son sens. Son sens, son profil, l'âme, son aspiration aussi, qui recouvrait toute l'humanité, à une vie meilleure; mais cet univers de bonté et de justice, emporté par l'art jusque dans le ciel, elle sentait qu'il resterait toujours étranger à Nietzsche, dont le réalisme intellectuel la choquait. Et elle en souffrait. Bien sûr, Wagner et tant d'amis l'avaient admirée. Pourtant, elle se sentait étrangement seule. Peu à peu, elle se rendait compte que seul le jugement de Nietzsche, sur sa personne, sa vie, son œuvre, lui importait. Dans sa lettre, il avait fait allusion à ces *Mémoires*. C'était, hélas, en se jouant, sur un ton allusif, un clin d'œil, comme quelqu'un qui n'ose pas aller plus loin, qui a peur d'irriter ou de faire mal. Comme elle reconnaissait bien là le jeune homme réservé, qui donnait si souvent l'impression, au milieu d'êtres mondains, quelque bien élevés qu'ils fussent, d'être mal à l'aise, qui sentait, reconnaissons-le, son presbytère, le sourire en retrait sous l'épaisse moustache et ce regard plus fort que toutes les mers! Il n'y a pas à dire, Nietzsche lui manquait, avec sa puissance d'interrogation et son grain de folie. Aujourd'hui, elle devait se contenter d'êtres exsangues, qui savaient tout et, d'instinct, ignoraient la vie. Nietzsche, lui aussi, savait tout, mais son instinct utilisait la connaissance pour le porter vers la vie, vers le cosmos, vers l'élan de toutes choses. Malwida, dans la pénombre qui s'appesantissait, se sentit lourde, faible, épave dans cette ville dont l'éternité ne faisait que souligner le côté éphémère de l'existence. Le salon était à son image, meubles vieillis, tapis incolores, murs très légèrement pisseux, livres abandonnés sous les chaises. Demain, elle gronderait Émilia. À quoi bon? Elle s'accrocha à sa solitude. Nietzsche lui avait dit, un jour, que la solitude était peuplée de «riches aperçus et d'intuitions merveilleuses». Bon, cela était sans doute tout à fait possible lorsqu'on était un philosophe et philologue de grand talent, mais elle, Malwida von Meysenbug, la Signora di et ce nom qu'aucun Italien n'était jamais parvenu à prononcer correctement, n'espérait plus rien de la vie, ni aperçus, ni intuitions, rien que de respirer dans le noir, lovée dans son fauteuil, seule, au fond de son salon vide et, surtout, qu'on ne sonne pas, que ce ne soit pas Romain Rolland, ou quelque autre exsangue, pianiste, musicologue, enthousiaste!

Malwida se leva et traversa son salon, en cette fin d'après-midi de septembre. «Je n'aime que les forts, se dit-elle, moi qui ai passé ma vie à défendre les faibles. Je n'en suis pas à une contradiction près. Protestante dans une ville catholique, que de fois j'ai senti le besoin de me rapprocher du catholicisme, presque malgré moi, en dépit de mon passé, de mon père, de mes amis.» Elle pressa le pas, comme si elle souhaitait s'éloigner le plus vite possible d'un sujet qui lui poignait le cœur. Elle se souvint de la conversation qu'elle avait eue, quelques années auparavant, avec le jésuite Lanti, émissaire exprès du général père Ledochowski. Le père Lanti lui avait peu parlé de religion, comme assuré de la prise. «Il avait raison, je mourrai catholique.» Malwida et lui, dans le secret de la chambre, loin des oreilles amies, s'étaient entretenus de la conquête de l'Amérique, de la vocation universelle de l'Ordre, des bontés de la Providence, de l'acceptation du destin. Le père Lanti avait moultes fois traversé la mer. Il avait connu les naufrages. Il avait toujours fait confiance à cette Providence qui veille sur le radotage des hommes comme sur leurs balbutiements. Malwida avait frémi, s'était senti emportée par cette assurance d'immortalité. Avec le jésuite, elle avait vaincu les flots. «Décidément, je n'aime que la force, que l'invocation mâle à laquelle Dieu répond par une bénédiction. Je suis allemande.»

Malwida, regardant autour d'elle, s'attarda sur un cliché parmi d'autres, sur un guéridon, qui représentait un jeune homme, un fil, l'air absent, les épaules étroites, une physionomie de penseur. Elle n'eut pas à déchiffrer la signature, qui s'affirmait dans la netteté de ses lignes: Romain Rolland. La vieille dame sourit avec une patience teintée d'ironie et d'ennui, car elle savait qu'elle allait mourir. Depuis six mois, la mort la guettait. Elle avait vu mourir Herzen. Elle avait appris à reconnaître la présence de la camarde. «Wohin? Wohin?» demandait Herzen et son entourage souriait avec tendresse. Où? Vers quoi? Dans quelle direction infinie et totale? Malwida prit la photographie de Romain Rolland et la laissa reposer sur ses genoux; le cliché glissa sur la soie de la robe et s'immobilisa dans les plis. Rolland était entré dans sa vie par l'amour qu'il portait à Wagner et à Beethoven. Il reconnaissait peu de charme à la musique française et ne trouvait pas Debussy assez fort. Malwida se méfiait un peu de lui, de sa politesse apprise, de ses manières chaleureuses bien que distantes. Ce normalien amoureux de l'Italie avait au moins cette qualité: d'aimer les livres et de suivre à la trace les dernières parutions. Il lui faisait lire ce qui lui arrivait de Paris, à mesure. *La Revue blanche* (et la belle Madame Natanson, si musicienne) l'avait introduite dans cette littérature nouvelle. Le *Mercure de France* lui-même ne manquait pas de courage. Que de sensibilité chez ces Parisiens, si à fleur de peau! Elle aimait la poésie d'Henri de Régnier, comme si la terre même était idéaliste. Lorsque Romain Rolland entrait dans le salon, les bras chargés de livres, elle avait du mal à retenir son mouvement de reconnaissance. Une autre belle semaine de lecture! Elle oublierait, le nez plongé dans ces livres, les bruits de la rue, les cris des enfants, les mères piailleuses, les ânes, les battements désordonnés de son cœur, presque jusqu'à son Allemagne. Elle aimait les difficultés du français, qui la faisaient rêver. Tout, elle le savait, n'était que remplissage, en attendant l'apparition de celle que Herzen avait tenté, en vain, d'apitoyer. «La mort ne s'est jamais attendrie devant le socialisme utopique. Le fera-t-elle devant mon idéalisme?» songea Malwida. Elle avait terminé ses mémoires, raconté sa vie, présenté son portrait au monde. Il ne lui restait plus rien à exprimer de ce qu'elle était lorsqu'en 1894 (déjà quatre ans!) elle avait entrepris d'écrire cette œuvre qui tenait des élucubrations les plus folles.

Elle y exprimait, sous forme d'immense dialogue (bien qu'il y eût souvent plusieurs voix), ses ultimes modulations. L'homme et la femme, ce couple éternel qui se cherche sans réussir à se trouver, et pourtant combien est puissant ce lien, qui sans les unir, refuse de se défaire en eux; Dieu, objet ultime du désir; la mort, qu'est ce désir; la possession du monde, exaltante et inutile. En écrivant ces pages qui ne correspondaient à rien de ce qu'elle avait connu, elle pensait souvent à Nietzsche et à cet écrivain à venir qui serait sa résolution, sachant que cet écrivain, ce n'était pas elle. Malwida ne se faisait aucune illusion. Elle avait écrit des romans, peu de chose, dont on s'était moqué. Seuls comptaient ses mémoires, elle en avait l'intime certitude, et peut-être ces phrases détachées de son Allemagne antique, agencées de façon à donner l'impression d'un monde qui se créerait à mesure. Elle avait lu, pendant ces quatre ans d'écriture, Saint-Jean de la Croix, Thérèse d'Avila, les œuvres de Christophe Colomb. Il lui semblait que ces lignes que, chaque matin, elle ajoutait les unes aux autres, rendaient un son nouveau. Un événement singulier, lié à Romain Rolland, lui faisait croire que ce qu'elle avait écrit s'insérait dans l'époque. «Serais-je moderne?» Son milieu compassé lui avait souvent reproché de trop l'être. De plus en plus, par-delà Londres, Paris et Versailles, son esprit en souvenir revenait au château de son enfance, à la petite cour où son père jouait le premier rôle, aux douceurs grisâtres des soins, à l'ennui si prenant qui avait dominé sa jeunesse, à l'homme d'Église qu'elle avait aimé (ai-je été payée de retour?), à sa mort (lui aussi, comme Herzen, avait hoché la tête, pathétiquement), à la solitude si cruelle lorsqu'on a quarante ans. Heureusement, les Herzen étaient entrés dans sa vie d'exilée. Elle avait pu adorer comme une mère les enfants d'une autre. À Versailles, Romain Rolland fréquentait la famille aimée. Il était donc, dans l'économie de son bonheur intellectuel, naturel qu'il ait été mêlé au prodigieux événement qui donnait à la fin de sa vie sa tonalité si particulière.

Malwida était amoureuse.

Cela s'était passé de la façon la plus simple. Elle avait pu constater, au cours de sa vie, trop longue et pas assez, que chaque chose attirait son contraire. Ainsi, dès l'abord, la princesse Belgiojoso, de retour de Turquie, lui avait déplu, dans son attirail de harem, ses shake-hands abrupts, ses bracelets tintinnabulants, ses grands yeux d'Io, cette vache étonnée. Peu à peu, assises en face l'une de l'autre, dans ce même salon, sous le buste de Wagner, les deux femmes avaient appris à mieux se connaître. Malwida avait retrouvé dans la princesse, caché par les grâces bourgeoises et les maniérismes acquis à Paris, son propre tuf aristocratique. Ses yeux de vache avaient une profondeur insoupçonnée, comme un puits dont on ne soupçonne pas les miroitements, à moins de se pencher sur la margelle. Il s'était établi, entre elle et la princesse, l'une de ces amitiés intellectuelles qui n'ont lieu qu'entre femmes revenues de tout, idéalistes malgré ce tout.

Romain Rolland était donc entré dans le salon, au moment même où la camériste l'annonçait. Lui si attaché au protocolaire, il fallait qu'il y eût urgence pour qu'il n'attendît pas dans le hall. Malwida portait ce jour-là, par-dessus sa robe noire aux reflets verts, un schall multicolore, cadeau précisément de la Belgiojoso. Ses cheveux étaient recouverts d'une dentelle blanche à barbes de soie, de celles mises à la mode par la reine Victoria, depuis qu'elle avait daigné quitter sa retraite de viduité. Ses pieds reposaient sur un tabouret. Elle tendit sa main à baiser à Romain Rolland qui, dans l'accomplissement de ce geste, ne manquait pas d'une grâce naïve. Elle portait au poignet un énorme bracelet d'or massif qui servait d'écrin à un bouddha de jade.

Le regard de Romain Rolland glissa sur l'image du dieu-prophète.

— Quelle coïncidence, dit-il.

— Que voulez-vous dire, cher jeune ami?

Malwida et Romain Rolland parlaient soit italien, soit allemand, pour ainsi dire jamais français. Le pensionnaire de la Villa Médicis ne perdait jamais l'occasion de s'instruire, comme en témoignent ses lettres à sa mère virile.

— Je vous expliquerai. Faisons un peu de piano.

Il s'assit au clavier et joua une sonate de Scarlatti. La rue semblait être entrée dans la maison, cette Italie populaire et rythmée, soudain exaltée, rapide, précise, ainsi qu'une comptine. Romain Rolland passa, après un sourire, à du «sérieux», une sonate encore manuscrite de Richard Strauss. Malwida écouta attentivement, et crut retrouver dans cette pièce à fortes résonances toute la musique qu'elle avait déjà entendue. Toute, Beethoven, Brahms, mais pas Scarlatti! non, pas Scarlatti! Les emprunts se succédaient les uns aux autres, sans fausse honte. Romain Rolland (et c'était là, pensait Malwida, la faille dans son armure) interprétait cette musique avec l'ardeur que possèdent seuls les Français incapables de se défaire de cette Allemagne qui les domine et à laquelle ils ne comprennent rien. Malwida se moquait parfois gentiment de lui. Romain Rolland souriait, sans se départir de son air de supériorité! En musique, il savait, de science certaine, qu'il n'y avait et n'y aurait que l'Allemagne. Malwida se taisait. Elle oublia même la musique, au centre d'un trio composé de Nietzsche et du père Lanti, entre le jésuite et le surhumain. Son livre, où dialoguaient cent personnages, était ainsi.

Elle sortit de son rêve sous l'œil indulgent de Romain Rolland.

— Vous n'aimez pas cette musique?

Elle ne répondit pas.

— Bon. Passons à autre chose.

Elle reconnut chez lui ce ton de professeur, prêt à résoudre les problèmes, quels qu'ils fussent. Ce jeune homme avait des idées sur tout, un esprit singulier et universel, rare conjugaison. Malwida von Meysenbug ne lui en voulait pas de manquer d'originalité; elle avait bien connu Nietzsche, la vieille créature. Auprès de lui, qui pourrait prétendre à l'originalité de l'esprit? Romain Rolland pouvait comprendre, interpréter, servir d'intermédiaire privilégié. Il n'était pas un créateur.

Il se leva, traversa le salon et revint de l'antichambre avec un livre.

— J'en ai reçu plusieurs, mais je n'ai apporté que celui-ci. Je l'ai lu tout d'une traite. Ni un roman, ni un poème, plutôt une épopée, la conquête du monde, l'insatisfaction du génie.

— Genre?

— Théâtre, mais injouable, autobiographie du désir, que sais-je? Plus fort que les ébauches d'André Suarès, c'est tout dire.

Malwida rit.

— Je connais mes enthousiasmes, je me laisse guider par eux et m'en trouve, ma foi, fort bien

— Quelle coïncidence, ajouta Romain Rolland. Il y a dans ce livre un reflet de la Chine et que vois-je? Ce bouddha qui réfléchit immémorialement à votre bras, serti dans l'or.

— Il me vient d'Oldenberg. C'est lui qui a fait connaître Bouddha à Nietzsche. Ou Nietzsche à Bouddha. Quelle coïncidence?

— Nietzsche, Bouddha, vous Madame, moi, ce jeune auteur français inconnu, on le dit diplomate, n'y a-t-il pas là un fil? Où est le conducteur? En le lisant, j'ai pensé constamment à vous, à l'amie.

— Merci, cher. Je le lirai en pensant à l'ami que vous êtes.

Malwida et Romain Rolland passèrent à autre chose, à Raphaël, qu'elle défendit avec passion. À ce génie surnaturel, Romain Rolland refusait la démesure. Malwida croyait, au contraire, que plus une œuvre atteignait à un classicisme d'évidence, plus elle charriait en elle de démesure, mais une démesure cachée, plus puissante, précisément, d'être, de vouloir rester, ignorée. Dionysos se cache en Apollon. Elle cherchait ainsi à résoudre les contradictions de Nietzsche et de Wagner. Elle voulait rendre l'âme allemande à l'équilibre.

On apporta le thé. Malwida mangea son gâteau sec, Romain Rolland, rien du tout. Il but quelques gorgées de thé, dit des amabilités, se tut, parla de la famille Herzen, des Monod, de Versailles. C'était le signal du départ. Il quitta Malwida comme la nuit tombait.

La rue s'était tue. Romain Rolland la traversa rapidement, se dirigeant vers la Trinité des Monts et la Villa Borghèse. Il ne voyait jamais Malwida von Meysenbug sans plaisir; il ne la quittait jamais que dans l'incertitude. De lui, que pensait-elle? Il y avait, dans leurs rapports, une régularité, un calme qui lui paraissaient le menacer. Malwida se moquait-elle légèrement, ô légèrement!, de lui? Elle refusait d'élargir le débat, de parler d'Art, de Fin de Civilisation, d'Avenir du Socialisme et de l'Humanité, toutes choses qui le préoccupaient au premier chef. Parfois, lorsque le dialogue semblait s'être engagé, elle s'enfuyait par une tangente qui lui faisait perdre pied. À quoi lui avait-il servi d'être l'amie de Nietzsche, la commensale de Wagner? Elle s'enfuyait, le mot n'était pas trop fort, vers des sphères que l'intelligence de l'homme moderne, celui pour qui l'art du doute était sa raison d'être, avait dépassées depuis longtemps. Il l'avait entendue (sans doute dans un moment d'extrême fatigue) parler de la «communion des saints». Était-ce une image?

Romain Rolland, perdu dans ses méditations, évita de justesse le fouet d'un cocher. La ville s'était éclairée. C'était l'heure de la fermeture des boutiques. Autour de lui une foule remuante parlait un italien qu'il avait du mal à comprendre. Et pourtant, cette langue n'avait pas de secrets pour lui. «Au fond, se dit-il, car il était honnête, il en va de même, peut-être, de mes rapports avec Malwida. Elle est vieille, elle est noble, elle est allemande, elle est pauvre, elle a vécu sa vie, elle a doublé le cap de l'idéalisme — et moi, j'ai la vie devant moi, les livres, la Sorbonne, cette pureté essentielle de l'être qui est mon chiffre à moi. Reconnaissons-le. Son cœur est usé. Il a cessé de battre.»

Cependant, Malwida avait commencé la lecture de *Tête d'or*. Dès les premiers vers, elle avait reconnu le timbre d'Eschyle. Écrit par un Français, ça? La puissance d'affirmation de la jeunesse cosmique et taurine la secoua d'outre en outre. Jeune fille, elle avait lu *Agamemnon*. Le ton, l'autorité des voix, cette façon si fière de leur virilité qu'avaient les Grecs anciens d'énoncer le réel, l'avaient éblouie. Ils parlaient tous comme si un dieu fait homme les habitait; le feu brûlait, la pluie tombait, la plaine s'étendait sous les étoiles parce que ce dieu possesseur de l'âme et du langage des Grecs l'avait voulu ainsi. Point de vaine interrogation, sinon pour provoquer cette réponse dont le personnage connaît l'amertume du sens. Il sait qu'il s'agit de la mort, de la disparition. Ne plus voir le soleil! ne plus entendre la voix humaine! ne plus penser qu'un jour, sous une forme ou sous une autre, on pourra posséder le monde! Dès les premières pages de *Tête d'or*, Malwida se reconnut, retrouva son âme d'adolescente, cette nostalgie dont le sens lui échappait et qui l'avait menée jusqu'à cette rue modeste d'un quartier encore plus modeste de Rome. Elle avait connu Herzen, Nietzsche, Wagner; aujourd'hui Romain Rolland, qui, sûrement, quelque jour, réussirait à jouer le rôle de grand homme; elle s'était souvent posé la question: pourquoi moi? pourquoi ces hommes illustres sont-ils venus vers moi? moi pauvre? Pourquoi m'ont-ils aidée à me transformer, à devenir celle que je suis? *Tête d'or* sur les genoux, les yeux fermés, la tête renversée vers l'arrière, dans la nuit qui remplissait le salon fané, dans un silence qu'interrompait, venue de la cuisine (car l'appartement était petit) une complainte naïve d'amour et de lettre non envoyée et non reçue, Malwida von Meysenbug se réjouissait d'avoir vécu jusqu'à ce jour, car, enfin, elle avait rencontré l'homme de sa vie. Fermement, son cœur battait vite. Tout ce qu'elle ressentait, tout ce qui s'était accumulé en elle depuis dix ans, qu'elle avait tenté de décrire dans ses élucubrations dialoguées, elle le retrouvait ici, non pas à l'état larvaire, mais sous sa forme pristine, comme si ce jeune écrivain, ce Claudel, Paul, exprimait à vingt-cinq ans, en cette fin de siècle, ce qu'elle avait ressenti à son âge et n'avait eu ni le courage, ni le talent d'écrire. «Il est allemand», pensa-t-elle. Mais non, les mots étaient bien français. Elle lut à haute voix, selon le conseil de Nietzsche, marchant de par le salon, tambourinant le rythme contre les murs. Il n'y avait aucun doute dans son esprit, ce jeune homme était une réincarnation d'elle-même encore vivante. «Dans l'ordre de la création, se dit-elle, il revit ma jeunesse, écrit ce que j'ai été incapable d'écrire, vibre à ce qui m'a fait vibrer.»

Elle ne mangea pas, ce soir-là, malgré les objurgations de sa camériste. Tout au plus, but-elle de son éternel thé. Elle lut et relut *Tête d'or*. Elle médita longuement la parole: ce qui doit être existe déjà, qui ne le sait? Elle comprit que sa vie avait été marquée au sceau d'une expérience antérieure. Quel avait été son rôle dans l'existence des hommes? Être leur âme, rien de plus, rien de moins. À la fin de sa jeunesse de femme, par crainte d'affronter seule l'âge mûr, de s'étendre seule sur l'Autel, elle avait recherché l'amour et l'échange. Avant de quitter l'Allemagne pour toujours, elle avait jeté son dévolu sur ce jeune pasteur et penseur, et comme elle, réformateur du monde. Peu à peu, l'amour avait pris possession de son cœur. Elle avait voulu s'unir à lui, consommer la perte totale, s'asseoir à ses côtés à la pierre angulaire du foyer. Mais cela n'avait jamais existé, puisque ce ne devait pas être. Loin de répondre à la ferveur du désir, ce jeune homme se réfugia dans une attente qui refusait l'amour, sans le dire. Malwida languit devant ce regard clair, cette barbe soignée, ce corps fait pour être ardemment possédé. Une autre amante, la Mort, gardait la porte, réduisant l'amoureuse au rôle d'infirmière. Fut-elle même la confidente de l'homme aimé? Elle avait tout oublié, sinon que son destin et celui de *Tête d'or* se rejoignaient. Partis tous deux à la conquête de l'amour, ils faillissaient en route. L'objet de leur passion leur échappait, mais avant de mourir, avant de les entraîner dans la mort, il leur livrait la connaissance du Monde. «Si le grain ne meurt», pensa-t-elle.

Son esprit se reporta aux dialogues qu'elle avait écrits, à cette somme des expériences de sa vie, où des hommes à cheval, partis à la conquête de l'univers, s'effondrent comme des continents dans la mer triomphante. Mais sur l'amoncellement des cadavres, s'élève un autre univers, spirituel. L'arbre de Jessé est ainsi fait que du sommeil éternel dont il est le symbole, jaillit la race humaine dans sa perfectibilité, née du divin, source du divin. Le monde à détruire est aussi un monde à reconstruire. Naître et renaître. Malwida, avançant dans sa lecture, lisait un livre que, dans une vie antérieure, elle avait, mystérieuse forme, écrit.

Elle se leva, retira de l'armoire de sa chambre le manuscrit de ses dialogues. Elle n'eut pas le courage de l'ouvrir, d'en recommencer, pour la centième fois, la lecture. N'était-ce pas là, ô merveille!, le livre qu'écrirait le poète, dans une autre vie? Savoir ce qu'il en pensait! Que dirait-il de ces élucubrations de vieille femme? Savait-il même l'allemand? Que penserait-il de ces personnages symboles, le chancelier, le roi, der Kanzler, der Kœnig, Siebenschwert, les prêtres, les démons déguisés, le monstrueux décor qu'avait inventé son esprit? Lui aussi savait manipuler l'espace. Mais, dans sa re-création du monde, Malwida allait plus loin (du moins le pensait-elle, avec un sourire en coin) que le jeune poète, qui n'avait pas voyagé, ni n'avait-il conversé avec des voya-

geurs intrépides. Malwida avait écrit son livre dialogué —
ce n'était décidément pas une pièce de théâtre — avec,
dans la main droite, une plume et, dans la gauche, l'orbe
homérique. Son œuvre était peut-être celle d'une vieille
folle, que ses amis, gentiment, gâtaient (autre sourire en
coin), elle n'en était pas moins le cri d'exaltation d'un
être qui, ayant connu, jugé, aimé et méprisé le monde,
faisait acte de la plus haute acceptation. Malwida comprenait, son manuscrit sur le guéridon, *Tête d'or* sur les
genoux, que seule l'humiliation permettait à l'âme de
connaître la qualité de sa trempe. L'homme qui s'abaisse
et se grandit. Par-delà les douleurs physiques, par-delà les
morales qui vous frappent du dehors, seule l'humiliation
fait de l'homme cet animal qui gémit parce que sa nature
même a été atteinte. Le fer a été porté, séparant les lèvres
violacées, jusqu'au fin fond de la blessure, là où il peut
librement fouailler. Au chevet de l'homme aimé, Malwida avait senti la pointe acérée. Cet homme préférait
mourir plutôt que de s'abandonner à l'amour de cette
femme, qui était elle! Ses sœurs la soutenaient, menson-
gères comme tout chœur antique, murmurant des apoph-
tegmes consolateurs tirés des vérités éternelles, dont
l'essentiel était que ce mourant aux lèvres blanches
n'était pas digne d'elle. À Malwida qui n'avait jamais
menti, qui aurait tout donné pour une nuit d'amour avec
cet homme (telle était sa naïveté), on mentait. Quel jeu
jouait-on avec elle? Elle regardait ce mourant et cherchait à interpréter à la fois sa douleur, cette observation
et la relation entre elles. Elle se détachait de cette scène,
son regard montait au-dessus du groupe des pleureuses,
du pasteur et du mourant. Elle souffrait seule, à une
hauteur vertigineuse, mais comme une mouche collée au
plafond et qui voit les humains depuis son univers et son
expérience de mouche, échappant à toute gravité. Et
tout le temps, pendant que mourait cet homme et qu'on
cherchait à la consoler par des mensonges, un vers de

Dante lui trottait dans l'esprit, qu'elle ne parvenait pas à chasser:

Ella ridea dall'altra riva dritta...

C'était elle (qui donc, sinon elle?) qui riait ainsi cependant qu'agonisait l'homme aimé. Ainsi en est-il des amours éternelles. Elle pleurait et chantait, riait tout ensemble. «Comment puis-je me souvenir de cette trahison, aujourd'hui?», se dit-elle. Quelle humiliation ç'avait été. De cette descente aux enfers, malgré le rire sur l'autre rive, après trente ans, et plus, rien ne lui était resté que cette image d'une femme rieuse dont les mains lancent, à droite et à gauche, des fleurs multicolores et inconnues à cette terre. Une immense nostalgie montait en elle et c'était l'amour. Elle venait de s'éprendre de ce jeune écrivain. Enfin! un amour sans issue! L'amour pour l'amour, un amour qui se suffit à lui-même, dont les pulsions sont dirigées vers l'intérieur, vers le constant renouvellement d'un désir sans exutoire. Ainsi le serpent se mord la queue, résolution parfaite de symétrie. Qu'aimait-elle donc en Paul Claudel, elle femme presque centenaire, lui homme d'à peine trente ans? D'abord, elle aimait rêver à ces distances infinies qui les séparaient, les mers, les montagnes, le désert de Gobi, symbole de la désunion de tous les cœurs, comme le collier de perles est signe d'union, désert où erre sans but le léopard des neiges (dont l'ironique destin est de ne fondre que sur des chèvres, proies bêlantes et plus affamées que lui), à l'ombre du mur de la Chine qui veut encercler et n'y parvient pas. Et puis, il y avait cette seconde distance, infranchissable, la vieillesse et ces innombrables replis que sont les souvenirs, où l'on peut toujours se réfugier, réapprendre à vivre, organiser ses refus. À partir d'un certain âge, l'amour ne peut être que le désespoir à l'état pur, l'absence d'espoir, la certitude que rien ne sera consommé. À Marienbad, Gœthe en avait fait l'amère expérience. Malwida s'étonnait qu'à son âge elle pût encore disserter sur l'amour comme sur un possible, sachant de science plus que certaine que cette passion ne déboucherait que sur le vide. Romain Rolland, de passage à Rome, venait lui tenir la main, lui faire entendre un peu de musique; cet opus 31 qu'il aimait jouer, les yeux révulsés, qu'était-ce sinon une question heureuse à laquelle répondent, tout aussi vite, avec l'assurance de la vérité, de sombres accords? Aimer? C'est la question. Non! Non! c'est la réponse. Combien était sûr l'instinct du jeune professeur musicien! Il avait répondu à la question de son vieux cœur avant même qu'il ne la pose. Le deuxième mouvement de la sonate lui avait dit: Acceptez ce non et vous trouverez la paix joyeuse. Apprenez le détachement, le rire, le passe-pied, l'éternelle jeunesse, les ramifications du contrepoint, si semblables à celles de la vie, avec, en arrière-plan, quelques petits coups de tonnerre bien sentis. Le reste, qu'on le veuille ou non, ne peut être que variations. L'esprit peut redevenir léger ou s'affirmer en grandioses accords, la donne a été distribuée, elle est vraie ou fausse. On ne pourra jouer qu'avec elle.

Il n'y a pas à dire, Malwida von Meysenbug, attendant la mort, était revenue de tout.

De tout?

Non pas du rôle, c'est la donne suprême, joué par l'acte créateur dans l'évolution des êtres. L'amour qu'elle ressentait, soudain, pour le poète inconnu, qu'elle imaginait le chef couvert de cheveux blonds (mais nous savons que le consul portait ses cheveux noirs à ras de crâne, comme le casque d'un guerrier), était enchâssé dans ce livre auquel répondait le sien, caché au fond d'une armoire. Œuvres sœurs, qui enjambaient l'espace et le temps, œuvres fragiles et cependant solides, comme deux ponts de lianes dans la jungle, réunis en un seul, œuvres qui, l'une comme l'autre, résumaient la connaissance de la vie. Elle, sa vie, faite d'espérances et de malheurs et puis, en fin de parcours, de la paix du pauvre; lui, sa vie, toute vouée à l'espérance du cri souverain, de l'appel du chef à ses troupes, de grand matin, avant la bataille et voici qu'elles s'éveillent heureuses de mourir pour lui, parce qu'elles ont entendu, et reconnu, dans le timbre de cet homme, la certitude du vainqueur, le chant du surhumain. «Ah! Nietzsche! pensait Malwida, que n'es-tu près de nous afin de lire ces pages où tu retrouverais, éternel voyageur, l'ombre de ta solitude!» Hélas, Nietzsche ne répondrait plus. Voilà pourquoi Malwida, dans son appartement toujours un peu humide, aima Claudel dans son lœss, au milieu des bols de riz fumant. Elle avait besoin, une dernière fois, avant de refermer le livre des comptes, de se donner tout entière à quelqu'un. Elle se donna à elle-même, sous forme d'homme lointain et de livre.

Elle se leva. Il était plus de minuit. Émilia avait allumé une lampe dans le hall. Malwida se dirigea vers son secrétaire et écrivit au poète inconnu, la courte lettre suivante.

«Monsieur le consul,

Notre ami commun Romain Rolland a délaissé le théâtre de la Révolution pour venir me voir. Il me plaît de penser qu'il associe mon nom à celui de Rome. Aujourd'hui, par ses soins, j'ai lu *Tête d'or*. Depuis Nietzsche, personne, ni aucun livre, ne m'avait à ce point émue. Dans votre livre, je retrouve la femme de trente ans que j'aurais pu être, au milieu de ce siècle, dans notre bonne ville de Kassel, ou à Hambourg. Tout ce que vous dites, d'une voix qui n'est qu'à vous, Monsieur le consul, par l'autorité du ton et la dynamique des images, je l'ai vécu, dans les profondeurs de mon être unificateur, sans pouvoir l'énoncer, sans pouvoir atteindre à l'idéal des formes. Je vous dis tout cela parce que je crois qu'il y a peu d'exemples, je dirai même dans l'histoire de l'humanité, d'une femme de plus de quatre-vingts ans qui vibre à l'unisson de l'esprit d'un jeune homme de génie. J'ai aimé Nietzsche. J'aurais aimé Rimbaud. Dans le même esprit, après avoir lu *Tête d'or,* je vous aime. Mon nom ne vous est sûrement pas inconnu. Ne voyez pas en moi quelque vieille agitée, en mal de correspondance. Peut-être ne recevrez-vous jamais cette lettre. Si elle vous parvient, de grâce, ne me répondez pas.

Surtout, ô surtout!, cher grand poète (pardonnez-moi ce moment d'exaltation), il y a votre style qui, évoquant les steppes, me ramène à mon pays d'origine, ma chère Allemagne. Que de fois n'ai-je pas semoncé Nietzsche à ce sujet! Il ne nous aimait pas, lui, écrivain allemand; vous, en revanche, d'instinct vous venez vers nous, par le miracle incessant d'un agencement si particulier de la langue française qu'on dirait parfois qu'elle est issue directement de Luther et de Gœthe. Vous l'avouerai-je? Je vous lisais en français et mon instinct, répondant au vôtre, ramenait votre admirable texte vers l'allemand, comme vers son idiome naturel. Ne me jugez pas, c'est mon cœur de vieille Allemande en exil qui vous parle.

Là où vous aurez raison si vous me jugez sévèrement, c'est que je cède à la tentation de vous envoyer un manuscrit; c'est *Tête d'or* qui aurait vieilli, mais dont l'auteur n'a pas su se dépêtrer des mots et des situations cocasses de la vie. J'ai travaillé quatre ans à cet ouvrage. Je l'envoie au Quai d'Orsay, qui, je suppose, comme toute administration, se fera un particulier plaisir de vous faire parvenir cette mauvaise nouvelle».

Elle signa: M. von Meysenbug et se frotta joyeusement les mains. Plus question de testament littéraire! Ses *Mémoires* étaient achevés. Ses romans, mon Dieu!, oubliés. Ne restait que cette fresque parlée et voilà qu'elle allait prendre la mer, passer par des mains étrangères, être confiée à la valise diplomatique, ouverte quelque part dans la Chine. Elle consulta son atlas. Romain

Rolland lui avait dit: Fou-Tchéou. À mi-chemin entre Canton et Shanghaï, c'était une grande ville balayée par les vents de l'estuaire. Le consul, en rickshaw, devait s'en évader, loin des peuples industrieux et chinois, pour respirer l'air du large. Un jour, il lirait son livre. On le lui traduirait, s'il ne lisait pas l'allemand. Il en extrairait, de cela elle était sûre, la moelle substantifique. Il reconnaîtrait en elle la parenté de l'amour.

Avant de se coucher, elle battit de nouveau des mains, tant son cœur était léger et tant elle pouvait maintenant remettre à Dieu son âme qui saurait accepter la mort.

III

Le consul, en lisant la lettre de Malwida, ne sut trop s'il devait rire ou le contraire. C'était un grand poète, mais le sens de l'humour n'était pas son fort et les connaisseurs de son œuvre savent qu'il avançait lourdement sur la terre. Il la lut donc, la classa à la lettre M. Il aimait l'ordre. Bien sûr, il ne répondrait pas à ces propos flatteurs. Le consul n'avait que faire d'une vieille dame, amie de Romain Rolland, de surcroît, Romain Rolland, avec qui il n'avait entretenu que des rapports lointains et dont il n'admirait pas particulièrement l'écriture. Le consul aimait entreprendre une correspondance avec l'un de ses pairs, pour le ramener, de gré ou de force, au dieu Monos, ou avec un jeune philosophe qu'il s'agissait d'arracher à l'abîme! Mais une vieille femme! Romain Rolland, fort d'idéalisme et passé maître dans l'art des atermoiements, pouvait excellemment se charger d'elle. Lirait-il même le chef-d'œuvre annoncé en termes voilés? Laissons agir le temps. Le consul se sentait d'humeur fataliste. Il avait commandé son rickshaw, il irait regarder le riz pousser, loin de la ville. À la Porte de l'Ouest, on lui amènerait un poulain hongre qui le mènerait jusqu'à la mer des rizières. Il descendrait, confierait le cheval à Chin Ti et marcherait de par les sentiers boueux, sa veste sur l'épaule et utilisant son chapeau comme éventail. Ses bottines vite recouvertes de boue gluante, grisâtre, verdâtre, lui rendaient la marche pénible. Mais quel repos céleste que d'avancer malgré l'attirance de la terre jusque dans les Enfers! Dragons au-dessus, diables en dessous, marmaille et multitude autour de soi, et vive la

Chine! Tout plutôt que de lire les lettres que vous envoient, des marches du trône papal, les réfugiées de l'empire wilhelmien, octogénaires en mal d'on ne sait quelles pulsions. Bien sûr, Chin Ti, en boy efficace, avait décacheté, lu et recacheté la lettre de ce curieux et germanique oiseau romain. En descendant du poulain, le consul avait vu, au fond de son regard, s'agiter frénétiquement le petit bonhomme qui y logeait. Chin Ti, lui aussi, s'amusait de Malwida. Pour la première fois depuis son arrivée à Fou-Tchéou, le consul échangea avec son serviteur, cornac, espion, un regard de connivence rigolarde. «Ce n'est pas un vilain bougre», pensa-t-il.

Il oublia vite Malwida, qui mourut en 1903. Il apprit sa mort au cours d'un rapide voyage à Paris, avant de repartir vers la Chine. Du manuscrit, aucune trace. La salle du courrier se souvenait vaguement d'un envoi à lui destiné, en provenance de Rome. Oui, les registres étaient formels. Le manuscrit s'était donc perdu en route.

Une chose que le consul, dont on commençait à admirer l'œuvre, n'oubliait pas, c'était sa carrière. Elle l'amena jusqu'à Hambourg où le surprit la guerre. Il revint à Paris avec femme, enfants, bagages. Notre consul avait pris du poids. Il avait connu les luttes intestines de l'administration, les jalousies perfides, les menaces de renvoi. En revanche, il avait eu droit à l'amitié si efficace de Philippe Berthelot. Il avait eu l'amour, Vénus, ses affres. Tout ça était passé dans des livres, des pièces d'un théâtre que personne ne jouait, des poèmes que seule une élite gratinée lisait. Mais peu lui importait, car, au firmament des lettres, son nom brillait.

Il projetait d'interpréter la Bible; entrer en conversation avec Dieu, préparer le face à face, pénétrer dans le Saint des Saints, entrouvrir le voile du Temple, celui qui, au cri rituel de Jésus, s'était fendu de bas en haut. Et la Robe, elle, personne n'avait eu le courage, en dépit de Satan, de la déchirer. On l'avait épargnée. Le consul général, à partir de la Bible, voulait écrire l'histoire des symboles chrétiens, le rituel de ce Rien transcendant qui se cache derrière le rideau. Avant d'en venir à cet immense travail objectif, il lui faudrait bien, quelque jour, écrire l'œuvre maîtresse qui résumerait sa pensée, sa poésie et sa vie.

Il voulait le souffle, les personnages innombrables, les étapes de deux vies, homme et femme, dans un contrepoint de désir, d'amour et de plus haute espérance. La Chine lui avait appris au moins cela: l'amour le plus enivrant est celui qui ne se boit pas, l'amour le plus envoûtant est celui qui ne se possède pas, l'amour le plus noble est celui qui n'a pas de nom. Toute consommation est dégénérescence. Conquérir le monde, c'est le perdre. Le chant suprême de l'âme est écrit sur une portée sans note. La vie se résume dans ce rien auquel on n'accède que par le refus de tout, que par la lutte âpre de l'ascèse, dans la multiplication, jamais assouvie, du désir. Ce livre, il l'écrirait, sans quoi sa vie d'écrivain n'aurait pas de sens. Il le portait en lui depuis ces années de Chine où il avait découvert que l'espace intérieur répondait à la vastitude de l'univers. Son œuvre et sa vie, qu'étaient-elles donc, sinon la tentative la plus élevée et la plus éloquente, depuis Dante et Shakespeare, de réconcilier l'homme et son destin cosmique? Un jour, à Arezzo, il s'était arrêté, gros homme déjà poussif, sortant péniblement de la voiture, afin d'admirer l'*Invention de la Croix*. Le regard des personnages de Piero della Francesca l'avait frappé. Ils regardaient au fond de son âme, de sa belle âme de catholique professionnel, qui n'a jamais douté de rien, surtout de lui-même. Ce fut la seule fois de sa vie où le père de la Princesse et de Thomas Pollock Nageoire frémit devant son avenir éternel. Il concevait l'œuvre qu'il allait écrire comme sa réponse à Piero della Francesca.

En ce jour de juin 1921, la guerre loin derrière lui, il s'apprêtait à retourner en Asie; non pas en Chine cette fois, mais au Japon. Dans son esprit, il voyait battre au vent du soleil qui se lève le cercle magique du Mikado. Sur les quais, les bouquinistes l'attendaient en vain. Il n'était l'homme que de ses propres livres, et du Livre. Le soleil s'abîmait dans l'eau et l'image s'enfonçait en lui de l'astre qui se lève là-bas et qui se terre ici, pour disparaître. Du reste, il n'avait jamais beaucoup aimé Paris. Il évitait d'en parler dans ses livres. Cette ville avait été le témoin de ses luttes de jeune homme, de sa rencontre avec Renan, ce misérable, il lui en voulait d'être l'épicentre de la lutte contre l'Église et contre le Christ. Il la quitterait sans déplaisir. Bien sûr, il ne pensait jamais sans mélancolie à sa première confession, à l'église Saint-Médard, là où tout avait basculé. Peu importe! Il était heureux d'aller à Tokyo, à Kyoto, de se trouver en secret face à face avec l'Empereur dans son temple-palais.

À la Centrale, on le reçut avec les égards dus à son rang, et avec cette nuance infinitésimale, à laquelle il tenait, réservée au grand écrivain. On l'admirait, on le craignait. L'intransigeance même de son catholicisme, qui n'avait rien à voir avec sa défense tout aussi obstinée des intérêts français, l'avait mis à part de ses collègues, et un peu au-dessus. Le Secrétaire général fut tout courbettes, comme il se devait; la visite était protocolaire. L'illustre écrivain (bien que toujours un peu en marge) le quitta content de cet accueil et de la vie.

Dans l'antichambre, un majordome lui remit ce qu'il pensa être un placet. C'était une invitation à se rendre à la grande Poste du Ministère, pour y prendre son courrier diplomatique. Il y fut, accompagné d'un jeune secrétaire, qui, plié en deux, marchait à la fois à son côté droit et devant lui, tout en l'entretenant de Hambourg, où le nouvel ambassadeur au Japon avait vécu (sa trajectoire était bien connue au Quai) et où lui, encore novice, s'apprêtait à se rendre. Il potassait son allemand avec fureur. L'ambassadeur ne croyait pas à une Allemagne régénérée. Le jeune homme l'écoutait attentivement, mais l'on voyait, autour de lui, son désaccord s'agiter comme une buée translucide. Cependant, loin de quitter son aîné, il s'attacha à ses pas jusqu'au comptoir où se trouvait le courrier venu de partout et adressé à Son Excellence Paul Claudel. Ils le dépouillèrent rapidement, les yeux rivés tous deux sur un volumineux paquet, couvert de ficelles et de timbres, comme on les empaquetait autrefois. Une lettre le recouvrait, qui transmettait au destinataire les regrets du Quai. Depuis plus de vingt ans, cet envoi errait de par le monde, suivant le consul général dans ses déplacements, toujours en retard d'un poste ou d'une guerre. Le nom de l'expéditeur, celui du destinataire, avaient presque disparu. Péniblement, l'ambassadeur tenta de déchiffrer l'écriture gothique, en haut, à gauche. Qui avait bien pu lui envoyer ce colis d'Allemagne? Le secrétaire à l'œil perçant corrigea: «Cela vient d'Italie.» Il lut, à voix basse: von Meysenburg. «Von Meysenburg», cria-t-il, triomphant. L'ambassadeur répéta, lui aussi commettant la faute de prononciation, et il n'en changera de toute sa vie: «Meysenburg! Meysenburg!» Il revit en pensée la lettre fin de siècle de la vieille dame amie de Nietzsche et de Romain Rolland. C'était donc ça, son manuscrit! Il n'y avait pas à dire, la persévérance des raseurs avait quelque chose de l'infini! Ce manuscrit l'avait accompagné, à son insu, pendant vingt ans, témoin inconnu et fétiche, de sa vie. Voyons voir ce que c'était.

Un fonctionnaire à blouse attendait, ciseaux en main. Trois épaisseurs de rude papier gris, chacune avec adresses et ficelles. Enfin, l'objet lui-même, dans sa nudité. Sur le carton de son manuscrit, Malwida avait déposé une branche qui s'était complètement desséchée. L'ambassadeur ouvrit une enveloppe, y fit glisser cette poussière, la cacheta, écrivit dessus: M. v. Meysenburg, 1898. Entre le secrétaire et l'employé des postes, il resta immobile devant le livre manuscrit, n'osant l'ouvrir. Il hochait la tête. Le secrétaire, gêné, lui dit: «Monsieur l'ambassadeur, vous permettez?»

La page titre apparut, en belles lettres gothiques, énormes, dont l'encre violette irradiait, dans son épaisseur. Le nom d'abord: Malwida von Meysenbug. En dessous, en minuscules, *Rom*. Le titre: *Der Seidene Schuh*. Le secrétaire éclata de rire et, fier de son allemand, dit: «*Le soulier de satin*. C'est bien là un titre de femme», ajouta-t-il.

L'ambassadeur prit son parti de sourire, lui aussi. Son œil brilla au fond de l'orbite. Sa main gauche se balançait et tremblait, comme un signe de connivence, ou d'adieu. Il souleva le manuscrit.

— C'est trop lourd, dit l'employé.

L'ambassadeur lui jeta un regard sévère, prit le manuscrit dans ses bras et se hâta vers la sortie.

LE CHRIST DE BRIOUDE

I

Étendu sur le sol, à même la pierre, le prisonnier s'éveilla. Il avait l'habitude des prisons — celle-ci en valait bien une autre. Ni plus grande, ni plus petite, ni plus claire ni plus sombre; peut-être un peu plus froide que la dernière, à Meung-sur-Loire («et jamais, se dit-il, je ne chanterai la Loire»), une prison est une prison, sans plus. Il bougea, mais peu, retenu à une grosse pièce de bois sur laquelle était fixée une chaîne de fer bouclant les entraves des pieds et fermée par une serrure. Il se rappela qu'au cours d'une discussion, avant que le jour ne se lève, chez Margot, on lui avait décrit le cachot de Jehanne, la brave et bonne Lorraine. Rien n'avait changé, sinon que lui, en ce Châtelet bien connu, on ne l'avait pas mis en cage. Il pouvait, sur le sol humide, s'étendre de tout son long, les bras repliés sous la nuque. Il pouvait rêver! Depuis longtemps, il avait pris l'habitude de manger peu, de n'avoir pas faim, de se contenter de ce qu'il pouvait trouver, de ce qui lui tombait sous la main; surtout, il avait appris à s'évader, par l'esprit, loin du réel immédiat, à s'inventer des rythmes, à faire renaître, en imitation d'Eustache Deschamps, la musique de l'enfance au service de Dame Mort.

Il se demanda pourquoi ces deux extrêmes l'avaient toujours séduit. Bien sûr, comme tant d'autres poètes, il aurait pu écrire de ravissants poèmes d'amour bien torchés. À Orléans, le duc lui-même, si savant, si mesuré, souriant, n'était jamais parvenu, malgré ses innombrables lectures, à faire vibrer ses auditeurs par-delà l'épiderme. Il s'en tenait au sujet, l'amour, l'éternel amour, rêvé et non pratiqué, l'idéal, le parfumé. Lui, à Paris, comme dans ses errances, avait recherché la chair vraie, qu'on sait fausse, et peu importe! L'idéal laisse tout inachevé. La possession, dans sa libidineuse insatisfaction, vous oblige à vous ressaisir, à vous poser des questions sur le désir et ses innombrables renouvellements. Le savant et cher duc ne voulait pas comprendre qu'amour et souffrance, c'est tout un. Margot le savait d'instinct, elle. Pour un oui ou pour un non, c'était la paire de gifles, le coup de pied au cul, le bannissement, les cris, injures, rétractations, promesses, pardons. On vivait alors de belles paroles et de baisers juteux. Ah! que la vie est belle, même en prison, d'autant que c'est le dernier jour. À midi, il sera libre. Après un saut au bourdeau, il retournera à Moulins, il quittera Paris. Il avait connu là-bas un fier médecin, qui le guérirait de ses langueurs. Mieux valait ne pas penser à cela. Songer à la liberté et à l'amour! Il n'en restait pas moins qu'il se savait malade, ce serait un autre thème de poésie. Ses amis croyaient qu'il avait fait son testament par crainte de la mort prochaine, par crainte d'avoir le col rompu, comme le pauvre Colin de Cayeux (tout aussi savant que le duc en son Orléans, mais plus susceptible de justice): ils se trompaient. Il craignait avant tout ces langueurs étranges, ces secousses nerveuses qui le laissaient gisant, comme mort, sans force aucune et toujours cette impression que son corps était mal nourri. Bien sûr qu'il mangeait peu souvent à sa faim! Cette sensation de faim allait plus loin que le besoin naturel de se sustenter. On aurait dit que le corps en son entier essayait, par ses millions de pores, de s'ouvrir au soleil, de dévorer l'air, de boire le vent, et en vain. Souffrait-il? Non, puisqu'il n'avait ni boutons ni nodules. Il s'était enquis auprès de plusieurs amis, car la Confrérie n'était pas faite que de malfrats. Tous ceux qui l'avaient

146

examiné de près, analysé ses crachats, l'avaient rassuré. Lèpre, non. Langueurs dues aux longues courses d'une ville à l'autre, à la crainte de la justice, dont la cloche sonne toujours plus fort lorsqu'on a trente ans. Il lui fallait du repos, et le voici de nouveau en prison. Surtout, il fallait jeter du lest, ne plus se laisser emporter, ne plus vouloir tuer l'adversaire au moindre prétexte, ne plus porter de poignard, bien logé sur la peau, dur et chaud, rappel de la fragilité de la condition humaine. Il fallait, hélas! commencer à s'assagir.

La pièce, le cachot, où il se trouvait était située à mi-étage. On y montait par huit marches. Huit marches, huit longs interrogatoires. On ne l'avait pas cru. Simplement, par ce beau soir d'automne parisien, il allait, rue de la Parcheminerie, voir les nouveaux ouvrages parus. À titre de bachelier, il avait eu le privilège d'examiner de près la Bible imprimée, chef-d'œuvre technique, miracle d'invention. François Ferrebouc, le notaire, aux aguets des nouveautés, d'où qu'elles vinssent, lui avait expliqué le mécanisme de la presse, la découverte encore plus surprenante d'une encre qui permettait l'impression des deux faces du papier, les caractères mobiles. Ferrebouc en avait un jeu et, pour s'amuser, il composa sur la table de bois clair, l'un de ses poèmes:

Sur le Noël, morte saison,
Que les loups se vivent de vent
Et qu'on se tient en sa maison
Pour le frimas, près du tison...

En ce moment, le frimas était bien présent, absent le tison. Il sourit devant les incongruités de la nature. Ce soir-là, Ferrebouc l'avait particulièrement bien reçu. Ils avaient ri, bu une chope, parlé poésie. Rutebeuf avait été disséqué. Ferrebouc souhaitait que Villon l'imitât, se rangeât, devînt, comme son prédécesseur d'il y avait un siècle, poète baladin. Villon lui répliquait par des citations:

Et froid au cul quand bise vente.

— Je préfère, disait-il, que mes loups aient froid, plutôt que moi.

Ferrebouc et lui, dans l'échoppe humide, évoquaient la femme de Rutebeuf.

— J'aurais pu l'être, dans une autre vie, dit Villon, elle était aussi maigre et sèche que je le suis.

En effet, il n'était pas beau. Depuis son emprisonnement à Meung, l'année d'avant, il n'avait pas laissé repousser ses cheveux. Bravade? Ennui? Il était petit, sec, nerveux, et sa tête rasée lui donnait une allure de spadassin, de tueur à gages. Les policiers qui l'arrêtaient étaient toujours surpris d'apprendre qui il était et, parfois, ils le laissaient s'échapper. Aussi, dans ses poèmes, souvent cruels, il les ménageait. Ils appartenaient à la même race d'hommes que lui et, après la rixe, au moment des mises en demeure à tarabustages, il cherchait un regard connu, qui lui indiquerait du coin de l'œil par où s'enfuir. Sa taille minuscule, son visage laid, son corps d'athlète, la rapidité presque féline de son allure lui permettaient de disparaître, sans bruit, protégé par quelque gros porteur de broigne, casqué de fer, bien planté sur ses deux jambes et qui faisait semblant de ne rien voir. De Rutebeuf, il avait hérité ce public populaire, qui voyait en lui le jeune Parisien, fils de famille, savant, poète surtout qui, un jour, serait comme son oncle, chanoine, et qui saurait, l'heure venue de la reconnaissance, protéger ceux qui, aujourd'hui, lui permettaient de jeter sa gourme.

Ce soir-là, il avait donc ri avec ce brave Ferrebouc, évoqué Rutebeuf (avec une secrète nostalgie), conspué Jehan Regnier dont les ballades sont bancales; il avait aussi — surtout, peut-être — lu des manuscrits à la lumière d'une chandelle de suif, somnolé cependant

148

que Ferrebouc mettait un peu d'ordre dans son escriptoire. Il s'apprêtait à rentrer lorsque des cris éclatèrent dans la rue, une rixe bien sûr. Villon avait appris, au cours des années, à reconnaître les voix des amis. Ferrebouc et lui échangèrent un regard complice. Ni l'un ni l'autre ne sortirait. Rester bien au chaud (si on peut dire) au milieu des livres. Ferrebouc éteignit la bougie. Trop tard. On avait, du dehors, aperçu la lueur de la flamme, des pas se rapprochaient, on traversait la petite place. Il valait mieux ouvrir. Ferrebouc se dirigea vers la porte.

— Attends, dit Villon.

Il lui fallait une seconde pour se ressaisir. Était-ce l'heure de lecture? Il se sentait faible, le corps couvert d'une sueur froide.

— Ça ne va pas? dit Ferrebouc.

Il regarda Villon, son teint verdâtre, ce visage étrange dans la pénombre, crâne, menton, sourcils rasés. Il se prit de pitié devant ce gringalet sans défense, le prit dans son bras, le serra fort contre sa poitrine.

— Vieux, ajouta-t-il.

Villon était sorti de sa transe. Il sourit, un peu piteux. Le «vieux» lui fit peur.

— J'ai donc l'air d'un grand malade?

— Fatigué. La vie que tu mènes...

Les pas ne se rapprochaient plus. La troupe des amis et camarades de rixe piaffait maintenant devant la porte.

Du menton, Villon les désigna.

— C'est la dernière fois, dit-il.

Sa résolution était prise. Plus de batailles de rue. Il en avait assez. Toutes ces belles années passées en joutes, en douteuses rapines et pourquoi? Pour finir chaque soir au cabaret avec des filles qui ne vous aiment pas, qui jamais ne vous aimeront. L'avait-il assez répété, à qui voulait l'entendre! Ses amis se moquaient de lui. Il vieillissait, lui disaient-ils, il voulait prendre ses aises. Bientôt trente ans! Déjà trente ans! C'est l'âge où les mauvais garçons tirent l'échelle. Et lui, Villon, n'avait plus qu'une idée en tête.

Fuir Paris, se rendre à Moulins, ou même à Jérusalem, ou à Compostelle, loin, très loin, seul avec la route qui se déroule, seul avec sa musique, les noms, les métiers, l'eau qui coule, les gargotes, ce qu'il avait mis dans ses vers. Il voulait remâcher cela. Il connaissait beaucoup de choses, mais de lui-même, que savait-il? Rien, sinon qu'il n'avait pas été pendu. La belle affaire! La vie lui avait donné le talent d'exprimer ce qui était en lui, mais ce qui était en lui, il n'en voulait plus. Il avait tout donné. Que voulait-il donc? Il n'en savait rien. De la pauvreté, il se moquait. Il avait, une fois pour toutes, choisi de ne rien avoir, pas même un brin de persil, de ne rien recevoir. Et il n'avait rien reçu, si des coups de caveçon doivent s'appeler rien. Un raté, voilà ce qu'il était devenu, avec tous ses dons. Son oncle le lui avait-il assez répété. «Gare, mon garçon, tu deviendras comme ton père, un raté!» Il en avait ri.

Ce soir, pendant que les camarades s'énervaient à la porte et que Ferrebouc, la main sur le loquet, attendait qu'il lui fasse signe d'ouvrir, Villon prit la ferme décision de tout quitter, même la poésie. Ferrebouc devina qu'il se passait chez son ami quelque chose d'extraordinaire. Qu'avait-il bien pu lire? Il cria aux gaillards d'attendre.

— Je leur dis de partir?

— D'accord.

Villon attendit, comme dans un rêve. Bientôt, la grande route! La poudre des chemins, le vent dans les semelles! Seule la route lui ferait oublier ses faiblesses, la tristesse de vivre. Finies les rapines! Adieu les amis! Adieu même le vin morillon! Quelle joie de quitter, une fois pour toutes, ce monde! Adieu les femmes, vouées au vieillissement et à ses laideurs! Adieu tout, adieu! adieu!

Ferrebouc avait ouvert la porte, dit quelque chose. Le ton montait. Villon se leva. Ferrebouc repoussait les amis jusque dans la rue. Sa forte taille empêchait Villon de voir. Il ouvrit la fenêtre. Dans la nuit, une masse indistincte s'agitait, criait. De toute évidence, ces jeunes énervés, et d'autres, moins jeunes, voulaient entrer, boire, rire, peut-être saccager. Ferrebouc leur opposait sa présence, son refus. Villon l'entendait, par-dessus les cris: «Non, non et non.»

Une autre voix se détachait, celle du vilain Du Moustier. Sa présence était de mauvais augure. Il détestait et Ferrebouc et Villon. Ferrebouc avait plusieurs fois mis Villon en garde contre ce paillard mal embouché et, de surcroît, voleur de profession. Non pas, comme Villon et ses amis, une tête brûlée. Non, un vrai crocheteur, assassin à ses heures, un voyou. Du Moustier détestait Villon pour une tout autre raison, infiniment plus grave. Il l'enviait. Cela, Villon le savait, l'avait deviné, au premier regard échangé. Du Moustier avait quitté Paris en secret pour Orléans, où il avait servi auprès de l'évêque. Il y avait écrit quelques vers, que ses amis s'étaient empressés de distribuer. Il y chantait la femme aimée, sur un ton de complaisance et de bravade qui déplurent assez. Ses allusions mythologiques suaient la prétention. Très vite, il prit Villon en grippe. Celui-ci s'en moquait, comme il se moquait de tout, mais ses lecteurs, comme ses auditeurs, savaient. Quoi? se demandaient-ils, après avoir entendu une ballade ou un rondeau. Quoi? Ils savaient que, derrière le propos drôle ou la pirouette, se dressait la Mort, avec son appareil. Trois poutres, deux verticales, réunies en haut par une troisième. Entre les deux verticales, se balancent deux hommes et l'un d'entre eux n'est pas encore Villon, ni n'est-il moi ou toi. Ils sont pendus pour l'éternité et c'est là que Du Moustier voulait voir Villon, dont les vers charmaient et faisaient rêver. De retour à Paris, il s'était rendu compte que toutes les places étaient prises, surtout la première, la sienne, qui lui revenait de droit. Par qui? Par ce freluquet de Villon! L'envie le dévorait depuis dix ans. Parfois, au cours d'une beuverie, au Cheval blanc ou chez Marion l'Idole, il déversait sa bile. Villon ne faisait qu'en rire, mais depuis un an, il craignait la vengeance de Du Moustier. Au cours de son interrogatoire à Orléans, en mai, il y avait trois ans, des recoupements lui avaient fait comprendre que Du Moustier était mêlé de près à son arrestation. La prison de l'évêque avait été particulièrement dure, la question, sauvage et renouvelée. Pendant l'une d'elles, l'un des aides-bourreau avait, en riant, récité l'une de ses ballades, suivie d'un rondeau de Du Moustier. On l'avait torturé jusqu'à ce qu'il avoue que l'œuvre de son rival était la meilleure. Cela n'avait aucun sens et Du Moustier, à Paris, en avait fait des gorges chaudes. Villon en aurait ri, lui aussi, si cette scène étrange ne s'était passée dans les cachots de l'évêque d'Orléans, qui avait de l'amitié pour Du Moustier. «Amitié? Un grand mot, se disait Villon; qui peut aimer ce gaillard?» Depuis son retour à Paris, en quête de protecteurs, sans en trouver aucun, et pour cause (ici Villon, presque malgré lui, sourit) il était redevenu l'amant le plus fidèle de dame Bouteille. Toujours soûl, Du Moustier! Au réveil, l'après-midi, la tête lourde, le verbe pâteux; le soir, écervelé, la dague à la main dès qu'il apercevait Villon. Il avait voué une haine éternelle au poète à succès. Il récitait ses vers en se moquant. «C'est de la littérature de pseudo-savant» disait-il. Il allait plus loin, accusant Villon de trop aimer les mauvais garçons. Il l'appelait, dès qu'il avait un verre dans le nez, l'*Empérière des infernaux palus*. Il s'agitait, grenouillait frénétiquement. Villon haussait les épaules, mais savait qu'à la première occasion, hop! ce serait le coutelas entre les côtes. Aussi, dès qu'il reconnut ce timbre, il retourna dans la pièce, étude ou librairie, selon, et jeta un regard pénétrant sur les livres qui s'y trouvaient, comme s'il les voyait pour la première (ou la dernière?) fois. Un regard testamentaire. «Nous sommes entre amis» hurlait Du Moustier à la porte. «La preuve, c'est que j'ai reconnu Villon à la fenêtre.» La voix était vicieuse. Villon glissa la main sous son pourpoint, en sortit sa dague. Ferrebouc parlementait toujours, mais le ton montait. Villon entendit le cliquetis que font les dagues lorsqu'on s'amuse à simuler un combat, entre amis, pour rire. Il s'avança. Du Moustier et lui échangèrent un regard, Du Moustier cherchant le sien, qui était dans l'ombre, Villon, lui, voyant briller celui de son ennemi d'éclairs sombres et rentrés, portant jusque dans le cœur le message, enfin, de la vengeance proche.

Le moment était venu. D'abord, Du Moustier recula, mais c'était pour mieux s'élancer. En reculant, il se replia sur lui-même, tête baissée, les ailes de son chapeau lui battant les épaules. Dans la clarté de la nuit, ses cheveux rouges brillaient d'éclairs de cuivre. Il sauta en l'air et se précipita vers Villon, cherchant à se glisser entre la paroi de la porte et Ferrebouc, qui la remplissait de sa masse grasse d'homme de loi amateur de livres bien nourri. Du Moustier, comme Villon, était de petit gabarit. Il se serait aisément faufilé si Ferrebouc ne l'avait pas eu à l'œil.

— Ho! Ho! dit le gros, déplaçant sa jambe gauche.

La dague de Du Moustier l'atteignit en plein dans le bas-ventre. Par instinct de tueur, il la fit tourner sur elle-même en prolongeant le coup vers le haut. Ferrebouc baissa la tête, regarda la main agir, effaré, déjà mort. Du Moustier regardait toujours Villon. Ferrebouc porta la main gauche à son front, glissa le long du chambranle et s'affala lentement, avec une douceur infinie, comme s'il cédait la place par politesse. Au même instant, les cris cessèrent, la troupe se dispersa, Du Moustier longea les murs, le guet s'amenait, Ferrebouc était étendu de tout son long, le corps dans la pièce, avec le sang qui jaillissait du pourpoint par grosses bulles régulières, les jambes dans la rue. Villon n'avait pas pensé à se défaire de sa dague. C'est ainsi que le surprit le sergent du guet, la dague à la main, penché sur Ferrebouc, à qui il disait dans l'oreille: «François! François!» On eût dit qu'il s'appelait lui-même. Du fin fond des infernaux palus, il lui paraissait qu'une voix semblable à la sienne répondait.

Dans son cachot, étendu sur le sol, pieds et poings retenus au mur par une chaîne et des menottes, le prisonnier rêvait, mais non pas à la suite du meurtre. Il refusait même d'y penser. Cette habitude était bien ancrée en lui. Paris, Meung-sur-Loire, sans parler des prisons de campagne, c'était du pareil au même: l'arrestation, les injures, le cul-de-basse-fosse, les interrogatoires, la question souvent, le tribunal, la condamnation, les messages aux amis, le poème de circonstance, exercice dolent. Cette fois-ci, c'avait été sérieux. Derrière le tribunal, les ombres des amis de Du Moustier s'agitaient, comme d'énormes marionnettes attachées aux juges par des ficelles. Tirées par qui? Dès sa première comparution, Villon avait compris que, cette fois-ci, on en voulait à sa tête. À son col, plutôt. Hic jacet Villon pendu. Il avait eu peur pour sa vie. Tout, y compris la torture, les douleurs dites insupportables, plutôt que cette brisure lente du col, cette Mort. Il avait donc pris sa plus belle plume. Il n'y était pas allé avec le dos de la cuillère, d'autant plus que ce qu'il écrivait, dans l'horreur de toutes les craintes, il y croyait. «Absolvo vos!» disait le prêtre, à la main le goupillon ruisselant d'eau bénite. «Pardon, ô Dieu, pardon!» écrivait François Villon. On ne l'y reprendrait plus. Risquer sa vie, innocent et cependant coupable. Heureusement, il s'était plusieurs fois entretenu de son évolution intérieure avec un chanoine de Notre-Dame; c'est lui qu'il avait chargé du dossier de grâce. Il l'avait vu hier; entrevu plutôt, car le prêtre, par prudence, ne lui avait parlé que de loin. Depuis une semaine, il ne voyait personne. On lui jetait sa nourriture par le guichet. De l'autre côté de l'huis, il entendait des grognements. Les gardiens s'étaient, de toute évidence, installés devant sa porte, où brûlait jour et nuit un feu de sarments et d'herbes aromatiques. Excellent signe que tout cela! Furieux de savoir que les démarches de Villon

154

avaient été couronnées de succès, ses ennemis lui faisaient sentir leur présence. Villon respira plus large. En cette aube de janvier, le soleil n'avait pas paru, mais il savait qu'un grand jour, jour fatidique, allait se lever, jour de soleil froid, quand même lumineux, seul dans le ciel comme un œil de vie. «Soleil, pensa-t-il, ô Vérité!» Il avait la certitude qu'aujourd'hui il quitterait cette prison, reverrait Paris et hop! le plus vite possible, Moulins, le grand large, un protecteur, le retour à la vie, Pie Jesu Domine, faites que cela soit possible! la méditation, le grand Œuvre. Cette certitude reposait surtout sur le fait que trois médecins lui avaient rendu visite, l'avaient palpé, examiné. Or, on n'envoie jamais un médecin vers les morts. Donc il avait, une fois de plus, échappé à la camarde. Il vivrait! Il irait de par les routes, méditant, chantant, respirant les fleurs!

La porte s'ouvrit. Un gardien, deux, dix, tous porteurs de torches, bardés de fer. Ils s'emparent du prisonnier en un tournemain, les gants de métal sur la peau. Quelqu'un défait menottes et attaches. Le prisonnier, qui a froid, est cependant couvert, de la tête aux pieds, d'une sueur chaude et âcre, dont l'odeur se répand autour de lui, dont il a honte, qui, heureusement, disparaît, vite brûlée par la fumée des torches. On lui noue les mains, non par derrière, Dieu merci, on le traîne hors de la cellule. Dans l'escalier, l'un des soldats, ou un gardien, lui recouvre les épaules d'une lourde pièce de tissu, un lainage, qui se révélera être un manteau à capuchon, comme en portent les frères déchaux, qui vous protège du froid et vous sert de couverture, la nuit, même de lit. Les voici tous dans une cour, hurlant, piaillant, tirant le prisonnier à hue et à dia, au bout de sa longue corde, lui au centre du rectangle, debout près d'un brasier, qui le réchauffe et qui, peu à peu, lui brûle les tempes. Dès qu'il fait mine de s'éloigner du feu, quelqu'un, armé d'une gaule, le repousse au centre de la cour. Il ne bouge plus que pour se retourner, offrant au feu ses mollets, son ventre, tournant sur lui-même dans ce petit jour qui n'en finit plus de naître. Il a le cœur gros et il lui est impossible, dans cette troupe d'hommes bardés de fer, de reconnaître un visage. Depuis une semaine, depuis la visite des médecins, personne ne s'est approché de lui. Soudain, debout, en plein air, dans le jour qui va se lever sur Paris, Villon a peur. Il ne s'agit pas de la peur qui vous saisit, la nuit, au coin d'une rue sombre, lorsqu'on sait qu'un ennemi vous guette et que vous avez la main sur la dague; ou même au cœur de la forêt, lorsque la faim donne aux loups d'étranges idées. Cette peur est comme libre d'aller et de venir à l'intérieur du corps et de l'âme, semblable sans doute à celle du mouton qu'on va égorger, qui le sait. La veille, au milieu de ses semblables, il broutait et bêlait, cependant prisonnier. Mais il y avait le bonheur de l'accoutumance. Et voilà qu'un jour, dans le troupeau, cette peur est venue s'installer, allant de l'un à l'autre, tenaillant les entrailles. Un autre jour, en réponse à cette tristesse, à cette certitude profonde, des hommes sont venus, un pinceau rouge à la main, marquant chacun, séparant, arrachant, démembrant le groupe. C'est en vain que l'agneau bêle. Comme sa mère, ses frères, on l'emporte, on l'enguirlande, on le tue, symbole du renouveau et du pardon. Avant qu'il ne meure, il saura ce qu'est la peur en toute liberté, celle qui s'installe et vit de vous en vous, peur qui naît de la certitude que le destin a tranché.

Soudain, tous se taisent. Un juge et deux assesseurs, du haut d'un balcon, lisent la sentence. Bannissement. Villon sera libre, hors Paris. Il a envie de sauter de joie, Paris, ville désormais maudite entre toutes, finies les Catherine, finis les Du Moustier. Enfin! la vie commence. Il lève les bras vers la troupe des geôliers, «vite, crie-t-il, qu'on vienne me délivrer, je pars!» Personne ne bouge. Le silence est tel que Villon est changé en statue de sel. Il faiblit et serait tombé si on n'avait tiré sur la corde. Il se sent brusquement projeté en avant, happé, on l'oblige à courir dans ce silence lourd et froid. Le jour se lève. Il court donc, vers le portail, qui s'ouvre. Il voit une charrette. Un cri: «Monte!» Il monte. En avant! la charrette, le cheval, les coups de fouet, Villon secoué, de chaque côté un cavalier et sa lance, au pas de charge. On traverse Paris. Villon ouvre les yeux tout grands. Il voit la ville, dans cette aube, qui disparaît aux regards à mesure qu'il avance. Le Châtelet, le Louvre, on traverse la Seine au milieu des maisons et d'un peuple qui commence à s'agiter; c'est le mur d'enceinte, bientôt la campagne.

Après ces mois passés dans un cachot, le noir, la pénombre, le prisonnier se remplit les poumons de ciel et d'air humide.

Accroupi et secoué dans ce tombereau qui traverse Paris à toute allure, dans l'aube, il cherchait à voir, retrouver le décor connu et aimé, emporté dans la tourmente des roues qui lançaient des éclairs sur le pavé, du bruit, de la poussière, sans assise, il ne pouvait qu'imaginer le spectacle. Pendant quelques minutes, le miroitement des eaux lui rappela qu'il avait aimé passionnément la Seine, traversée et retraversée, longée amoureusement. Il se surprit à penser à elle au passé. La peur, de nouveau, lui pénétra le cœur. Il décida de fermer les yeux et d'imaginer la ville qu'il traversait, comme un animal qui fuit et qui doit atteindre les vignes et les champs avant que les habitants ne s'éveillent.

Les yeux fermés, au rythme des pavés, il voyait les trous et les vides dans les rues, les hautes maisons, les jardins, les cimetières, les cloîtres, son esprit n'osa pas, n'eut pas le courage, de prononcer le nom chéri: Cloître Saint-Benoît. Pourtant, il s'inscrivit en lettres de feu dans la chair de Villon, qui en fut comme marquée au fer rouge. «Je devrai apprendre à oublier tout cela», il respira profondément, malgré sa faiblesse. «Où m'amène-t-on?» La tour du Temple se dressait à droite. Villon sourit devant cette Tour de Babel, qui avait tant coûté à ses constructeurs. Au plus profond du désespoir, souffrant dans sa chair, emporté il ne savait où, il sourit. De pitié, peut-être, ainsi qu'un homme qui, croyant s'apitoyer sur son sort, pleure sur le destin des hommes. Villon ne songeait ni à lui-même, ni à ses amis, ni à ses camarades de ripailles (quand ripailles il y avait) ni même à ses ennemis et à ses juges. Il pensait à ces hommes du Temple qui, comme lui, avaient été arrachés à leur prison et qu'on avait menés pendre. La douce figure de son protecteur, traversant le cloître, lui vint à l'esprit et son cœur se serra. Mais il n'était pas homme à se laisser aller. On n'écrit pas des poèmes ardus avec une âme faible. Il se laissa entraîner par le mouvement de la charrette sur les cahots. Il y perçut même une sorte de musique, un rythme, des mots lui vinrent aux lèvres, une poésie naissante qu'il chanterait un jour. Un jour? Mais, si on allait le pendre? Il porta son regard plus loin devant lui, par-delà le ciel immédiat et reconnut un autre clocher, celui de Saint-Martin-des-Champs, où il avait beaucoup festoyé, autrefois.

On traversa une porte, c'était la campagne, des champs de blé, une forêt toute noire, au loin, le silence du matin. Tout lui parut, soudain, plat. La charrette s'arrêta. Les cavaliers l'entourèrent. Villon ne bougea pas. En face de lui, la route en lacets menait à Paris, qu'il ne reverrait plus de dix ans, ainsi l'avait voulu la Justice. Au loin, la ville se dressait comme un bloc de pierres, avec ses clochers et ses tours. Il voyait, comme de vivants points noirs, des gens, des bêtes, qui allaient et venaient aux abords d'une porte. La route était grise, dure, avec de chaque côté des fossés profonds où poussaient des ronces et, plus près, quelques marguerites. «Ah! Margot, quand te reverrai-je?» Les cavaliers l'encerclaient, mais se tenaient loin de lui. «Suis-je une bête féroce?» Il sourit, car il se savait de nouveau libre. Voyons voir. Il se dressa à demi et se prépara à sauter hors de la charrette. Il avait à peine esquissé un geste, qu'un cavalier dressa sa lance, que le charretier fit siffler son fouet. D'un mouvement brusque, la charrette avança et Villon se retrouva assis sur la paille, jambes en l'air, à la recherche de son équilibre. Et voilà pour la liberté! Il commença à perdre patience. Que lui voulait-on? Qui attendait-on? N'y avait-il ici personne qui pût lui rendre son baluchon, lui indiquer la route à suivre? Le soleil commençait à taper dur. Peut-être s'endormit-il dans sa charrette? Lorsqu'il s'éveilla, les cavaliers étaient assis en rond dans un champ, le charretier se promenait de long en large. Villon avait faim et soif. Il regarda le ciel. Il était neuf heures. Sur la route, personne; l'avait-on bloquée? Personne ne faisait mine de s'occuper de lui, mais impossible de s'enfuir: dans ces champs plats à perte de vue, il était à la merci des cavaliers. De temps à autre, l'un d'eux se levait, allait jusqu'à un coude dans la route et interrogeait l'horizon. Vers onze heures, Villon mourant de faim et de soif, un cortège se présenta, un prêtre et deux acolytes. À midi, on entendit, sur le sol, un bruit de pas. Villon, par pressentiment, dressa l'oreille. Il comprit que la partie sérieuse de la journée commençait. En effet, derrière lui, un troupe de mendiants s'approchait. La charrette ne bougea pas, le charretier restait figé, plus loin, derrière elle, au milieu de la route. Le cheval, seul personnage heureux dans ce décor, s'amusait avec des mouches. La petite troupe, environ trente personnes, avançait toujours. Le prêtre et ses desservants allèrent à sa rencontre. À cent pas, il s'arrêta. La troupe, sur un signe de son chef, fit de même. Le prêtre, goupillon en main, bénit les quatre horizons et entonna le *Veni Creator Spiritus.* Villon, lui, dans sa charrette, s'était mis à genoux. Les membres de la petite troupe écoutèrent l'hymne en silence. À peine le prêtre eut-il terminé que ces hommes et ces femmes chantèrent un cantique à la Vierge: *Theophilus absous dit à sa Mère,* où les voix de femmes répondaient aux voix d'hommes. Une rude complainte, sur la vie si dure des errants, la faim, la soif, le vent, la grêle, le gel, le pain qui n'est jamais cuit. Lorsqu'ils eurent terminé, un silence s'abattit sur la campagne. Un cri retentit. Le ton changea et, agitant leurs crécelles, les vagabonds dansèrent, sautèrent, en chantant: *Bien paillard fut le vieux Noé.* Villon, en entendant les crécelles, s'était redressé. Il sauta en bas de la charrette et s'enfuit vers la ville, au loin, comme un enfant se jette dans les bras de sa mère qu'il croyait avoir perdue. Paris est une marâtre et les soldats eurent vite fait d'avoir rattrapé Villon, ligoté, jeté à terre entre le prêtre et la troupe des lépreux. Le prêtre et ses aides firent trois pas vers lui et lui imposèrent les mains, délicatement, sans le toucher. Villon, figé par la peur, ne pleurait même pas. Il avait compris. Ses juges lui avaient menti. On lui réservait un sort pire que la mort. Vivre avec ces lépreux! Jamais il ne les quitterait plus. Il deviendrait lépreux lui-même. C'est comme si sa vie se terminait là, sur cette route à la sortie de Paris. Il ne serait plus rien. Une colonie de lépreux valait mille prisons.

Le prêtre marmottait des prières. Personne ne faisait attention à lui. Tous les regards, y compris ceux des lépreux, se portaient sur cette homme ligoté, au milieu de la route, qui tremblait. Le prêtre entonna le *Dies iræ.* C'était donc cela, la Mort! Il bénit Villon une dernière fois, tourna le dos aux lépreux et tout le monde, cheval, charretier, soldats, hommes de Dieu, s'en fut.

Les lépreux se précipitèrent aussitôt sur Villon, défirent ses liens, le mirent nu comme un ver et se partagèrent ses vêtements. Leurs mains sur son corps étaient rudes comme des peaux de serpent. Le chef, assis au bord du fossé, donnait des ordres et riait. Villon ne voyait rien que ces trognes hilares, qui se moquaient de lui. Il fit un effort surhumain:

— Je ne suis pas lépreux, dit-il.

— Tu l'es maintenant. Ici, je commande et si je te dis que tu es des nôtres, tu l'es. Le mot que tu viens de prononcer n'a pas cours ici. Tu es des nôtres, c'est tout. On t'a confié à moi. Pour toujours. Tu vivras notre vie. Tu changeras comme nous. Tu mourras avec nous. Ton nom?

— Villon, François.

— On m'a dit que tu étais poète et mauvais garçon. Puisque tu aimes rimer, désormais tu t'appelleras Rimaillou. Tiens.

Il jeta à Villon quelques vêtements, des loques sales et grasses et une crécelle.

— Ta meilleure amie, ta compagne. Je suis ton chef. Je m'appelle Grosboudin. Tu apprendras. Notre troupe porte le nom du cardinal d'Estouteville, qui nous a ouvert la porte de nombreuses ladreries. En route.

Villon en son centre, prisonnier du destin, la troupe, béquilles, crécelles, baluchons, se mit en route, en direction de Brie-Comte-Robert et plus loin.

II

Il avait connu la mort chez les autres. Combien de ses amis, de ses camarades de débauche, dans Paris ou dans ses environs, étaient morts: arrestation, emprisonnement, jugement et condamnation, pendaison. Des hommes jeunes et frais, certains savants dans l'art de la disputation, qui se levaient à l'Université et tenaient tête aux maîtres les plus célèbres. Un coup de dague et la justice séculière y allait de son autorité, elle qui aimait se venger des clercs, leur enseigner à vivre, leur faire comprendre où se trouvait le pouvoir. Que de fois Villon, tout enchifrené, enveloppé de la tête aux pieds dans une longue, épaisse bure, avec quelques amis, sous un porche, avait regardé passer la charrette qui allait de son rythme lent, que rien ne saurait arrêter, vers le gibet, vers l'éternité. Le petit groupe se tenait bien calme, chacun le nez dans le col relevé, ou le bonnet enfoncé jusqu'aux sourcils, pressés les uns contre les autres et une question allait en s'amplifiant de l'un à l'autre: «Quel sera le prochain condamné? Moi? Toi? Lui?» jusqu'à recouvrir le bruit des sabots sur les pavés, celui des roues, les cris des soldats. Et soudain, un condamné dont le regard perce les brumes de février et qui crie, d'une voix gouailleuse et tragique: «Salut, maître François!» C'est le cri de la peur, c'est aussi celui d'une voix qui demande miséricorde. Elle s'adresse au poète. «Ne nous oubliez pas, maître François, parlez de nous au paradis des lettres.» Et François Villon se dégage du groupe, va vers la charrette, tend le bras ou la main et dit: «C'est moi, ami. Que Dieu t'accompagne et te garde!» Les soldats le regardent, le reconnaissent. C'est pourquoi, par la suite, le guet l'aura si facilement à l'œil. Peu lui importait, à cette époque. Comme la vie lui paraissait lointaine et miraculeusement belle! Il en souriait presque, lui si peu enclin à sourire, sinon aux pauvres paysans rencontrés au bord de la route et qui s'apitoyaient sur le sort des lépreux. Certains de ses amis, il était allé les revoir, pendus haut et court, secoués par le vent, dans l'odeur du charnier. En les voyant ainsi au vent aigre, comment n'eût-il pas préféré à la mort, la dure prison elle-même, et ses souffrances?

La vie, oui, par-delà la pauvreté, la faim, la nudité, le froid — mais la vie! L'homme, avec ses inventions, ses petites, misérables inventions, finit par prendre l'habitude de tout. Depuis son départ de Paris, la perte de son nom au milieu de cette tourbe de lépreux, depuis la prise de conscience des premières pustules à la bouche, il avait appris à connaître la souffrance, à jouer son jeu, à la berner, à l'apprivoiser, à lui parler, à se fondre désespérément en elle, vieux compagnon quotidien, qui ne vous quittera jamais, présente jusqu'à la mort, mère, femme, amie. Au fond, dans la vie de tout homme, l'amie la plus fidèle. Avant cette aube terrible où il avait découvert sa véritable nature, Villon avait souffert sporadiquement, d'une souffrance dont le terme était toujours proche, qui ne devait pas, sauf par inadvertance, déboucher sur la mort. Aux hivers les plus terribles, aux forêts les plus sombres, succèdent le printemps et les champs de blé. Cette fois-ci, c'était autre chose. La douleur était présente et s'affirmait dans la durée. Non seulement elle ne le quitterait jamais, elle l'empêchait d'aller vers ce qu'il aimait le plus au monde, les autres. Les autres! Ils étaient là, l'entouraient, une humanité complète, avec ses bons et ses méchants, ses faibles et ses forts, emportés d'une léproserie à l'autre par l'intense besoin du miracle, une humanité où il se retrouvait à chaque instant, en chaque visage reconnaissant le sien, dans chaque main, ses mains dévorées par la gangrène, suppurantes, déjà réduites à l'état de moignons. Ces mains qui avaient avec tant d'ardeur, d'émotion, d'ivresse, tenu la plume, la droite écrivant bien sûr, plongeant la plume dans l'encre, traçant ces caractères sacrés, vers, rimes qui soutiennent le texte et lui donnent son ossature; et la gauche, étendue sur le papier, à demi ouverte, porteuse du sens et de ses ondes secrètes, main sans laquelle la droite ne peut rien transmettre au cerveau, ce maître des pulsions, des rimes, des associations, des fulgurances. Coupé du monde qu'il aimait, interdit de solitude, Villon, sur la route poudreuse, au son des semelles et des pieds nus qui battent la chaussée, rêve à cette poésie qu'il n'écrira plus.

Sa poésie, il l'avait conçue comme partie intégrante de son milieu, exaltation de la vie et de l'amour, protestation contre la déchéance des hommes, leur amour de l'argent, amour exclusif, contre les amours. Il avait voulu aimer. Mais qu'aiment donc les femmes, sinon des godelureaux ou des vieillards riches, qui font leurs quatre volontés, dont elles se moquent, qui aiment qu'on se moque d'eux et qu'on les vole jusqu'au jour où l'amante, devenue «cette haridelle» se retrouve dans son ruisseau. Godelureau, lui, Villon? Il était poète. On récitait, on chantait ses vers. Donc, il suscitait l'envie. Il faisait peur. Les dames, dès lors qu'elles avaient le cœur sensible et la peau fine, le fuyaient. Il ne lui restait que les grosses et les vieilles. Avec elles, que de parties fines! On s'habitue à tout et Villon avait fini par aimer, à sa façon et à la leur, ces pouffiasses. Il avait vite constaté que les belles jeunes personnes, fruits défendus, ne suscitaient en lui que des vers langoureux et que la plainte n'était pas son fort. Il avait vite détruit ces vers. Les poulaines ne martèlent pas, seuls dansent, avec une force qui ébranle murs et planchers, des pieds et des jambes solides, qui soutiennent des hanches pleines, une poitrine ample et douce au front fatigué du poète, le tout tenu en équilibre par des bras courts, forts de biceps, dodus et rouges. Et le cou dressé haut sur les canaux de graisse. Et la tête, où, par saccades, se défont les tresses, les yeux à demi fermés, la bouche ouverte d'où s'échappe le rire merveilleux de la femme mûre qui sait que la danse, c'est bien beau, mais que ce qui va suivre sera plus merveilleux encore! Au diable donc les mijaurées et vive les vieilles putains!

«Et pourtant, se dit-il, si j'avais été un beau jeune homme, simple, paisible, rougissant, l'escarcelle bien garnie?» Il ne l'avait pas été, ce beau jeune homme, et l'eau lui en montait aux prunelles. Son vieil oncle l'avait prévenu. «Voilà ce que tu es, lui avait-il dit, un pauvre clerc.» Il avait promené son regard sur la personne du gringalet aux muscles tendus, prêt à monter à l'assaut. «Que vas-tu devenir, mon cher petit?» Cette détresse naïve agaçait le jeune Villon. Ce qu'il allait devenir? Il n'en savait rien, mais, d'un coup de sang, il se prit à haïr ce cloître, les messes, les chants des prêtres, les cierges, les vitraux, sujet préféré de sa vieille mère en mal de conversation religieuse. Il regarda autour de lui, ce cloître, douce prison où le recueillement pouvait s'alimenter aux bruits de Paris; ses murs épais et ses arcades vous ramenaient insensiblement à l'ouverture en forme d'œil qui brisait la monotonie du tympan. «Cet œil, disait le vieux tuteur, c'est Dieu qui te regarde, François Villon.» Mais Villon voulait grimper au sommet, s'engouffrer dans ce trou béant et prendre son envol, posséder le ciel, nouvel Icarus. Il y avait aussi le lierre qui signifie que l'âme humaine doit s'attacher aux choses du ciel. Jeune homme, Villon vomissait tout cela, bien qu'il revînt sans cesse au havre de grâce, vite par l'escalier étroit dans le mur, sa chambre, sans allumer la chandelle, le lit bas, l'humidité et le froid des durs hivers, sans bruit afin de ne pas éveiller le vieux qui dormait, mais dormait-il? Sa présence vigilante, son amour (emporté par le mouvement de la route, et parfois une crécelle faisait entendre son bruit sauvage, Villon refusait de penser à cet amour) montait imperceptiblement jusqu'à la pièce nue et sale et

Villon, avant de s'endormir du sommeil mélancolique du vin et du bruit des armes, en était imprégné.

Il n'était pas beau, c'était certain, loin de là, petit, nerveux, la tête d'un faux prêtre, rageur, avec des éclairs de noblesse qui faisaient peur. Son regard aurait pu tout sauver, mais lui aussi intimidait, par le mépris qui en coulait à flots. Un mépris rieur, mépris tout de même. Il avait cette laideur particulière des hommes qui ne sont pas beaux et qui auraient aimé l'être. Les femmes, dont l'instinct est branché sur ces anomalies, les font souffrir dans l'expression même de leur amour. Et ces hommes, malgré leur intelligence, jouent volontiers à ce jeu du chat et de la souris. C'est qu'ils connaissent tout de leur temps, intelligents comme ils sont, sauf eux-mêmes. Ils savent cela et ils pleurent sur leur destin tragique d'incompris. Mieux vaut ne pas naître à ce monde tout de travers où chaque lit est un grabat.

Le seul lit véritable du lépreux, c'est la route, le chemin. Il est l'homme du chemin. Lorsque Villon, refusant d'écouter son vieux tuteur, prenait son envol par-delà le cloître et la ville, il ne se doutait pas qu'il allait retomber sur une piste au milieu des forêts, terre battue, parfois pavée. Mais gare aux routes pavées! La petite troupe ne peut pas résister au plaisir de la suivre, car elle est douce aux jambes fatiguées, elle accueille amicalement le pied. Les troupes romaines l'ont foulée, elle les a menées à des victoires, à la fondation d'un grand Empire. Et puis, elle ne les avait menées à rien du tout. Il faisait bon quand même de quitter la terre battue, les ronces et les cailloux et de se retrouver sur une route séculaire qui longeait les villes, les couvents et les ponts. On se savait près des autres, on respirait les mille odeurs qui montent de la vie des hommes, celle du pain, celle des épices, celle des teinturiers. Près des murs des villes, les hommes exerçaient leurs métiers. On les entendait rire, chanter, on entendait aussi des voix de femmes. Un soir, la troupe s'approchait de Carcassonne. La ville était au loin, on devinait sa présence. Chacun rêvait aux plaisirs contenus dans ses murs. On longeait l'Aude lorsque le soir, soudain, tomba. On s'arrêta à l'orée d'un champ, afin d'y passer la nuit. Demain, avant l'aube, on repartirait vers la léproserie, par des chemins détournés, crécelles actives, afin d'éviter les rassemblements. Personne ne dormait, car la nuit de juin était belle et des montagnes, avec les piaillements des oiseaux et les hurlements des loups, venaient des odeurs de mûres et de châtaigniers, d'autant plus douces à respirer qu'elles étaient presque imperceptibles. Cependant, gare aux habitants des grandes villes! Gare aux moines et à leurs manants! Il fallait savoir à la fois manier la crécelle et passer au large, inaperçu.

Un jour, dans les environs de Poitiers, la troupe fatiguée par une longue journée de marche, affamée, se hâtait vers la léproserie de Saint-Hilaire, où il était possible non seulement d'obtenir à manger, mais, aux abords de la maladrerie, de demander la charité. C'était à l'époque de la Foire dite des Lépreux. Les routes commençaient à se remplir, non pas encore de marchands, mais d'éclaireurs, qui allaient retenir une place à la Foire pour leur maître. Les lépreux d'Estouteville avançaient donc prudemment, précédés d'un guetteur à double crécelle, qui, dès qu'il apercevait un voyageur au loin, un cavalier ou un dignitaire ecclésiastique, entouré de sa Maison, revenait en courant et chacun de s'enfuir, de se cacher le plus loin possible, à bonne distance des pierres et des coups de bâton. Cette progression en zigzag rendait les approches des villes épuisantes. Villon, comme les autres, allait se tapir derrière un fourré, y reprenait souffle, ramassait son baluchon, comptait ses effets, maudissait le sort. «Que ne m'a-t-on pas pendu?» se disait-il souvent. Peu à peu, au cours des ans, il avait commencé à accepter.

L'acceptation! quel mot pour un réprouvé, pour un homme jeune encore dont toute la vie s'est passée à se moquer, à rire, à jouir, à pleurer, à se dresser contre le sort ironique, à mettre en vers ce jeu immense de l'esprit, où le détail, où la flèche empoisonnée, qui vibrera pour des siècles dans la plaie vive, représentent la totalité des folies de l'univers. Un jour, tout s'écroule. Il ne s'agit pas d'un tout relatif, mais d'un bateau qui sombre corps et biens. Un trou dans l'eau qui bouillonne. On regrette sa prison, les vers écrits pour recouvrer la liberté, la gouaille, alors que tout était déjà réglé, que les dispositions avaient été prises, la charrette, la cérémonie d'expiation, le choix de la troupe de ladres. Désormais, il ira de maladrerie en léproserie, mendiant son pain, toujours en route, selon qu'une ville ou une châtellenie voudra, ou non, le recevoir. Il n'aura plus que le nom qu'on lui donnera dans la troupe, reçu dès le premier jour, comme un nouveau baptême. Le poète humilié est devenu Rimaillou, puis Maillou. Personne, entendant ce nom, ne saura qu'il a été poète. Où est François de Montcorbier? Où est François des Loges? Où est passé François Villon?

Son intelligence, son corps puant, lui disaient: Tout est fini! Il faut dire adieu au passé! Il n'y a d'avenir que cet immédiat de chaque jour, chaque grain de sable suivant l'autre dans le sablier. Finis les amis. Finie, la mère. Finie la silhouette aimée, voûtée, tremblotante dans sa vieille soutane, la tête dans le capuchon, qui traverse le Cloître Saint-Benoît. Finie, la bonne ville de Paris. Finie, Pontoise. Rien que ce quotidien fait des jambes qui avancent ou reculent, du ventre qui a faim, des yeux qui regardent et surveillent, des oreilles attentives au moindre bruit et de cette douleur chaude du corps qui s'en va. Son cœur, sa sensibilité n'acceptaient pas. Pourtant, il le fallait bien. L'homme qui sait qu'il va mourir, qui maigrit à vue d'œil, incapable de se soutenir, curieusement, peut refuser la mort et disparaître dans le délire. Mais celui qui sait qu'il va vivre longtemps, jusqu'au bout, avec cette lèpre qui ronge sans achever, le sursaut du refus lui est interdit. Villon, ou Maillou, vivait au milieu d'hommes et de femmes qui avaient perdu l'espoir. Ces loques se livraient sans mesure à leurs appétits; à cette violence succédait, un jour, une apathie viscérale, ainsi qu'un rideau qui tombe sur le dernier acte d'une tragédie et les spectateurs repliés sur eux-mêmes attendent, dans l'ombre grise de la salle, que l'on allume. Le malade sait, lui, qu'on n'allumera pas. Il ne lève même pas les yeux. Cette apathie transforme le troupeau ladre en bande inerte, à la merci du premier venu, le taureau qui traverse l'arène en tous sens et qui rugit à faire peur. Les femmes sont vite à lui, les hommes grommellent et suivent. Personne n'accepte, car personne ne comprend. Villon, le rimaillou, a eu vite fait de savoir que toute révolte était inutile et qu'il lui fallait plier l'échine devant un Dieu inflexible et brutal. Il fit le gros dos et, comme tous les autres, suivit la voie la plus facile, qui est celle du silence, de l'obéissance, de la répétition imitative des gestes de la communauté. Grosboudin était passé maître dans l'organisation de la vie. Dès l'arrivée d'un nouveau membre, le nom; les corvées, ensuite; l'école de la mendicité; les punitions, l'obéissance aveugle. Sinon, la disparition derrière un fourré. Rimaillou comprit que seule cette discipline permettait au petit troupeau de survivre et d'accéder, à sa façon primitive, à la cohésion. Il avait connu la vie des mauvais garçons, les luttes intestines pour l'affirmation et le pouvoir. Rien n'avait changé, que la lèpre.

Il ne s'y habitua, on peut dire qu'il ne s'y habituera, jamais. Être en pleine force, et lépreux, au milieu des autres lépreux, ruisselant de lumière, comme une vérité de vie! Tout au cours du premier mois, en route de Paris vers Orléans et Bourges, et plus loin encore, il pleura beaucoup. Il se mit à la tâche d'oublier, donc d'être un bon lépreux. Il inventa quelques ritournelles, qu'il débitait, au bord des routes, à distance respectueuse, pendant qu'un enfant surveillait la sébille. Parfois, au son de cette voix éduquée, de toute évidence celle de quelque malheureux clerc, un voyageur dressait l'oreille, arrêtait sa monture ou ses gens, écoutait les paroles mystérieuses qui parvenaient jusqu'à lui d'un fourré, hochait la tête, parfois même notait la complainte, et jetait quelques piécettes dans la sébille, où elles retentissaient un bref instant. Rimaillou criait merci au seigneur ou au prêtre et attendait l'arrivée d'un autre chaland. La lèpre faisait partie du paysage quotidien. «Rimaillou, disait Grosboudin, nous deviendrons riches.» Villon souriait, de sa bouche atteinte.

Un jour — pourquoi ce jour-là et pas un autre? — en longeant la Clain, en route vers Saint-Hilaire et le pèlerinage à Saint-Achard, Villon eut l'idée de réciter l'un des poèmes de sa jeunesse. Il errait de par la France depuis dix ans. Grosboudin était mort, remplacé par un certain Louisgeorges, puis par un autre Grosboudin et ainsi de suite. Rimaillou ne tenait plus compte de ces généalogies. Il était un ancien qui en avait trop vu. Bientôt, lui aussi mourrait, il le savait, son corps, couvert de pustules, était profondément atteint et, parfois, le cœur lui faillait. Il trouverait bientôt une léproserie où mourir. Déjà, il avait demandé asile à Toulouse et au Puy, villes qu'il avait appris, de loin, à aimer entre toutes. Il lui semblait qu'il ferait bon mourir à leur ombre. On lui avait opposé un refus sec. Seules les villes petites ou moyennes pouvaient se permettre d'être généreuses. Rimaillou attendait son heure. Elle viendrait, il en était sûr. Il avait d'abord à transmettre un message, à faire savoir qu'il vivait toujours. Ensuite, il trouverait son gîte.

Cette certitude l'avait transformé, assoupli à l'intérieur de lui-même. L'attention qu'il avait portée tout naturellement à la fabrication de ses poèmes, il en faisait maintenant le centre de sa vie. À chaque minute, à chaque heure, à chaque geste, celui de se lever comme celui de manger ou de marcher, ou d'attendre à la porte d'une ville l'autorisation de circuler dans la châtellenie, il accordait une attention extrême. Ne comptaient que les instants, dans une succession que seul vient interrompre le sommeil. Au sommeil, puits insondable de l'oubli, Villon se donnait tout entier. Peu à peu, il avait appris à regarder l'ensemble de sa vie à la lumière du présent, de la faim, des marches, des haltes, des blasphèmes, des pèlerinages. Il aurait aimé écrire des poèmes là-dessus. À quoi bon? Qui les lirait? Quel serait son sort, au milieu du troupeau s'il en racontait la vie quotidienne et les espoirs? Il avait été mêlé, comme chacun des membres de la petite tribu, à trop de scènes de violence pour ne pas craindre le pire. On avait oublié qu'il avait été poète, Rimaillou, ce nom qui avait servi à l'amoindrir en le couvrant de ridicule, devenu Maillou, était son bouclier. Parisien, on l'appelait même, parfois, Maillotin. On finirait par oublier tout à fait que Maillou avait été clerc. D'autant qu'il avait survécu dix ans à la maladie, aux sévices, à la faim, au froid, à la soif. D'autres étaient morts, lui vivait. Il portait en lui le passé de la troupe, dont il partageait les souvenirs et les us avec quelques autres camarades. En sorte qu'au centre de la tribu s'était formé un conseil naturel, celui des Anciens, qui avaient vécu des jours héroïques. Villon savait qu'il n'en avait rien été, que, dans la course aride qui portait les lépreux d'un lieu à l'autre, contre la mort, les jours nouveaux ressemblaient aux anciens et aux futurs. Seul l'instant comptait, avec sa charge de vie. Il fallait s'accrocher à lui, ne pas geindre sur ce qui avait été, ne rien espérer de ce qui pouvait être.

Cette philosophie n'empêchait pas les bouffées de détresse et de honte. Souvent, de loin (soyons juste, parfois aussi, de près) quelque prêtre haranguait la troupe. Une nouvelle façon de concevoir les rapports entre Dieu et l'homme avait pris naissance dans les pays du Nord et commençait à s'étendre au Midi. Au milieu des cris de la guerre, la charité de Dieu s'adressait à l'homme et lui demandait de faire de cet amour sa vie quotidienne. «S'il y avait eu pour l'homme, disaient ces prédicateurs, quelque chose de meilleur et de plus utile que de souffrir, Jésus-Christ nous l'aurait appris par ses paroles et par son exemple». Cette doctrine, Villon en avait fait sa nourriture. «Celui qui me suit ne marche pas dans les ténèbres» disait aussi le Christ. Qui au monde marchait plus que la troupe d'Estouteville? «Tout homme désire naturellement de savoir» ajoutait le prêtre. C'était le passé, les bancs de la Faculté, les questions, les disputations, les rixes, les longues, enivrantes lectures de la nuit. Cependant, les bouffées de tristesse recouvraient son cœur comme des vagues.

Un jour donc, — pourquoi ce jour et pas un autre? — au bord de la Clain, avec Saint-Achard au loin dont le clocher brillait, Villon fut de corvée de mendicité. Grosboudin II lui dit:

— Récite quelque chose, chante au bord de la route, Maillou, il faudra peut-être payer l'entrée à Saint-Hilaire.

Maillou s'éloigna du groupe, la main sur l'épaule de l'enfant (non lépreux, fils de lépreux, condamné à suivre ses aînés, habitué dès la naissance à cette vie d'errance; il s'appelle Salomon le Magnifique, porte son nom avec fierté, aime chanter et rire; il ne sait pas ce que c'est qu'un lépreux; il a neuf ans, inspire l'amour et la compassion; Salomon le Magnifique et Rimaillou forment une équipe sensationnelle, ce sont ces détails qui composent une vie, celle d'un homme, celle d'un groupe), en direction de la route. Il lui parut que cette route, il la connaissait. Il regarda à gauche, à droite, hésita une seconde avant de la traverser. Elle lui parut de mauvais augure.

— Qu'y a-t-il, maître Maillou? s'enquit Salomon le Magnifique. Ses yeux, sous la tignasse rousse, réfléchissaient la crainte de l'aîné et les paupières tremblotaient.

— Rien, répondit Villon, de sa bouche atteinte, rien. Je cherchais un endroit pour mes ritournelles.

— J'aime *Au retour de dure prison.*

— Moi aussi. Mais aujourd'hui, j'en dirai une autre. Je dirai...

— *Jeanin l'avenu?*

— Non. Je dirai...

Ici, Villon hésita. Il allait franchir un pas, il le savait, mais il savait aussi que, sans lui, sans cette audace extrême, ce qui devait arriver n'arriverait pas. Depuis son entrée au sein de la troupe d'Estouteville (le nom commençait à disparaître), il n'avait jamais pris de risque. Il s'était enfoncé dans les marais de l'oubli, dans ses mirages, dans le néant des habitudes, jusqu'au néant de poser sa main sur l'épaule de Salomon le Magnifique, après avoir été, autre néant, comme tant d'autres, l'amant de sa mère. Il hésita. Depuis un an, l'envie le tenaillait de chanter, de réciter, recto tono, mais au timbre supérieur, celui qui renverse les montagnes, une ballade d'autrefois, l'une de celles qu'il avait écrites, à Paris, dans le feu de ses vingt ans. Il y avait toujours résisté, par respect du passé. Dans l'état où je suis, je salirais ma poésie. Mais ce jour-là, pour la première fois, un membre de la troupe, ces baladins de la mort, lui demandait de réciter quelque chose, non pas à la façon impérieuse de Grosboudin II, mais d'une voix qui parlait du cœur. Et cet impétrant était un enfant, pur de corps et d'esprit, généreux petit Salomon qui s'adresse à Villon qui n'a pas eu d'enfant! Ils avançaient tous deux vers la route, la traversèrent et parvinrent à un léger promontoire d'où ils pouvaient surveiller la courbe, qui suivait le doux cheminement de l'endormeuse Clain. Salomon avait, dans chaque main, une crécelle; il les dressait, projetées en avant et, au moindre passant, les agitait frénétiquement, en sautant, esquissant quelque pirouette. Pour lui, c'était un jeu, il n'avait pas encore attrapé la lèpre. «Que deviendra-t-il?», pensait Villon, assis sur une pierre. Tous deux attendaient l'arrivée, par ce grand matin, d'un groupe de pèlerins qui, fatigués, arrivés près de la première halte, s'arrêteraient le temps d'écouter une poésie légère, de descendre de cheval, de faire quelques pas avant que le soleil ne prenne toute la place, peut-être de s'apitoyer sur le sort de l'enfant tapageur. Salomon s'agitait d'autant plus, à quelques pas de Villon, qu'il avait remarqué que son compagnon était triste. La main de l'homme s'était appesantie sur l'épaule de l'enfant.

Cependant, le soleil faisait sentir sa présence. Par temps chaud, les pèlerins ou les marchands préféraient continuer leur route. Viendrait-il quelqu'un? Salomon scrutait l'horizon. Des paysans avaient passé, plus pauvres et malheureux que les lépreux. Les ritournelles ne pouvaient les toucher. Dès qu'ils apercevaient les lépreux, ils pressaient le pas. Enfin, Salomon vit un nuage de poussière qui miroitait au soleil.

— Maître Rimaillou, dit-il, il vient quelqu'un.

Villon se leva, péniblement, sortit de sa poche un grand mouchoir rouge, en loques, qu'il agitait en parlant, devant sa bouche, pour cacher son visage putréfié, cette bouche qui avait connu les baisers. Il lui faudrait, une fois de plus, s'exécuter. Il s'avança au bord de la plate-forme. En effet, à gauche, au centre même du tournant, un cortège imposant s'avançait, formé de soldats d'abord, du groupe compact des voyageurs, ensuite; un second détachement de soldats, porteurs de lances, fermait la marche. De toute évidence, c'étaient là des puissants de ce monde. Déjà, on pouvait distinguer les hautes coiffures des femmes, les voiles qui voletaient au vent. Tout ce beau monde était à cheval. Salomon trépigna devant cette richesse. C'était la Fortune qui venait vers lui, avec sa Roue. Il écarta Villon du revers de la main. L'homme sourit devant la généreuse impatience de l'enfant. Les deux crécelles de Salomon fendirent l'air de leur grincement plaintif. On l'entendait au loin. Les voyageurs s'arrêtèrent. Un soldat s'avança et enjoignit aux deux lépreux de vider la place. Salomon expliqua que Rimaillou allait réciter quelques ritournelles qui permettraient aux dames de se reposer et, plus tard, de rêver. Maître Rimaillou avait chanté partout en France. L'émissaire s'éloigna, revint. Les dames s'arrêteraient,

174

mais que les baladins (lépreux qui plus est) se tiennent à distance idoine. Ils avaient allumé des torches qui brillaient immatériellement au soleil. Les dames, elles étaient trois, voilées, s'approchèrent. Salomon le Magnifique fit quelques tours, toujours rieur, cambré dans sa culotte de l'an dernier, insolent jeune à peine mâle. Les dames chuchotèrent et rirent, sensibles aux charmes de cet avenir. Puisqu'il y avait des Salomon le Magnifique, il y aurait toujours le plaisir d'aimer. L'enfant n'était pas ladre, il l'avait clamé. Elles l'admiraient donc en toute quiétude. Le vieux lépreux, le récitant, était debout derrière l'enfant, le visage enfoui dans une pièce de tissu rouge.

Il s'avança. Jusqu'à la dernière seconde, il ne sut pas ce qu'il allait dire. Il débuta presque à voix basse, dans un silence terrible de chevaux qui suent, de femmes qui s'enveloppent plus étroitement dans leurs voiles, de torches qui grésillent. Au milieu du cortège, un prélat grassouillet se rongeait les ongles. De loin, on aurait dit un gros enfant gâté qui suce son pouce. À voix basse, Villon récita la chanson préférée de Salomon: *Ouvrez vos huis, Guillemette*. Le Magnifique avait sorti de son léger barda une vielle improvisée, à manivelle minuscule, au ventre doucement allongé. Il en tira des accords désespérés, car Guillemette refusait d'ouvrir. Comme l'ami Pierrot, elle était bien au chaud. L'assemblée rit. Au silence de la peur succéda une attention précise, comme une flèche que l'arbalétrier savant lance, dont le parcours ne peut faillir. L'exécutant avait situé sa narration au niveau des gens de cour. Comme la flèche, il se devait d'atteindre son but. Dans l'air, il y avait des vibrations, avec un murmure. Le prélat s'était redressé. *Au retour de dure prison*, murmura Villon à Salomon, qui fit retentir sa vielle; trois accords aigres, auxquels succéda le poème. *En sa maison, au retour*, dit le poète; trois nouveaux accords, et il reprit le poème depuis le début. Il avait enlevé son mouchoir. La bouche dont la lèvre inférieure était rongée, apparut, édentée, comme un puits d'ombre, ou le trou enfumé de la Pythie, annonçant la mort. Villon renversa la tête vers l'arrière. La vielle fit entendre ses grincements tragiques. Villon attendit. Salomon le regarda, suspendu à la respiration de Rimaillou. Une autre plainte de la vielle rappela Villon à lui-même. Il fallait s'avancer d'un pas, annoncer la pièce. Il se redressa et dit:

Ballade pour prier Notre Dame.

Et puis, rien. Il attendit, incapable de dire un mot. Il le fallait pourtant. Salomon le regardait, de son regard de bon chiot. Il allait recommencer à jouer et Villon attendait toujours, la gorge nouée. Les auditeurs s'impatientaient. Le prélat lui-même avait fait signe à ses serviteurs de l'aider à descendre de cheval. Allait-il marcher, prendre la tête de la cohorte, donner le signal du départ? Non, il venait vers le bord de la route, à pas majestueux, sûr de lui. Et la lèpre? Salomon lui fit signe de reculer, il avançait toujours. Villon, les yeux baissés, vit ses fortes bottes, noires, luisantes, lui pieds nus et en haillons. Il eut envie de vomir. Voilà à quoi il était réduit, lui, le fringant écolier, cependant que ce gros homme, à peine plus âgé que lui, portait les bottes d'un seigneur. Le prélat s'arrêta à la distance prescrite pour éviter les miasmes. Il dressa la tête, enleva son bonnet, tourna le dos à Villon, sourit mélancoliquement aux dames et récita:

Dame du ciel, régente terrienne
Empérière des infernaux palus...

Jusqu'au bout:

Notre Seigneur, tel est, tel le confesse:
En cette foi, je veuil vivre et mourir.

Ayant dit, il s'épongea le front, remit son grand chapeau de feutre, se retourna vers Villon, le regarda, enleva de nouveau son chapeau, s'inclina profondément et dit:

— On se souvient de vous, Maître François.

Il remonta à cheval. Les dames riaient, quelle belle anecdote à raconter ce soir, quel avait donc été ce Maître François, d'où sortait-il, que lui était-il advenu? Salomon, lui, ne quittait pas le prélat des yeux. Leurs regards se croisèrent. Le prélat sourit, fouilla dans sa poche et lança au petit une bourse. Salomon mit genou en terre, pour dire merci.

Les pèlerins s'éloignèrent. Villon, debout sur son tertre, son mouchoir sur la bouche, ne bougeait pas, pareil à une statue oubliée. Ses prunelles le faisaient souffrir. On se souvient de vous, les vieux amis, la jeunesse, Paris, maman, le Cloître Saint-Benoît et son vieillard tant aimé. Il tourna légèrement la tête vers la gauche. Dans la poussière que faisaient les chevaux et les hommes, il distinguait le dos important du prélat, vit son bras droit se lever et faire un signe. Mais ce signe, Villon n'en saisit pas le sens.

À Poitiers, Saint-Achard s'était montré avare. Villon s'était présenté à la léproserie de Saint-Hilaire. On y avait bien accueilli la troupe d'Estouteville, qui arrivait munie des espèces sonnantes que lui avait offertes le prélat inconnu, mais pas question d'y recueillir à demeure un étranger, venu on ne savait d'où, enrichi on ne savait comment. Les administrateurs se réfugièrent dans les règlements de la châtellenie, qui a bon dos. Au départ de Poitiers, Villon refusa de marcher. Salomon le Magnifique lui tint la main, Grosboudin II le menaça des pires sévices, il résista un temps, enfin, se mit en marche, il ne savait pourquoi, sinon qu'une voix, à peine perceptible, l'adjurait de se mettre en route, vers un havre. L'espérance est un guide sûr. Villon serra la main de Salomon, en guise d'acquiescement. La vielle émit, une fois de plus, ses sons bizarres et la troupe reprit la route.

C'est ainsi qu'ils parvinrent à Brioude.

III

Récit de Loret Lembron

Le plus drôle, c'est que je n'aime pas particulièrement la sculpture! Les gens autour m'envient mon talent. Les enfants viennent me regarder au travail. À chaque coup de poinçon, ou de ciseau, il y en a un qui rit. Je les laisse entrer dans ma soupente. Notre ville est petite, industrieuse et pauvre. Notre église porte bien le nom de Saint-Julien. On y vient de partout, c'est même un lieu de pèlerinage célèbre. Rien à comparer avec le Puy; mais, tout de même, la Place du marché a des proportions qui me donnent une grande joie, chaque fois que je la traverse. Les rues autour de l'église sont animées du matin au soir. De ma soupente, sous l'église, je peux voir les passants, béates et bourgeois, entendre leurs jérémiades. Heureusement, les enfants donnent à notre petite ville sa vie physique, sinon morale, car j'ai peine à croire que ces galopins aient une âme. Les pèlerins affluent chez nous, de tous les coins du monde, en route vers le Puy. Brioude et son saint les accueillent volontiers, bien que nombre de ces pèlerins soient des menues gens. Les filous sont nombreux parmi eux. Nombreux sont ceux qui, passant devant mon atelier, se penchent et me jaugent. Leurs commentaires me font rire. Les ignorants ont droit à notre indulgence. La mienne est fille de l'habitude que j'ai prise de surprendre l'émerveillement sur ces trognes!

Mes rapports avec la Fabrique ne sont pas de tout repos. Pour un oui ou pour un non, on fait appel à moi et, bien sûr, je dois livrer dans l'heure une Vierge pour une procession, une oriflamme peinte pour la Saint-Julien, participer à l'organisation des cérémonies, en un mot, un dur esclavage. Je ne m'étendrai pas sur les chanoines prébendés et leurs commandes. J'aurais trop à dire sur l'avarice qui les caractérise. Avec eux, tout ce qui touche à l'argent (et Dieu sait que je suis raisonnable) devient matière à débat et à brouilles. En vérité, la Fabrique ne vaut guère mieux, mais j'ai appris à mettre de l'eau dans mon vin. Mon maître, le vieil Enguerrand, m'avait mis en garde. «Les hommes, me disait-il, ne changeront jamais; ils mépriseront toujours les artistes et seront toujours près de leurs sous. Ces deux défauts sont la cause que rien ne va dans le monde et que rien n'ira jamais.» Ainsi parlait Maître Enguerrand, et plus j'avance en âge, plus je lui donne raison.

Venons-en à mon Christ, puisque c'est de lui que vous voulez que je parle. Je suis peintre, non pas sculpteur. À la sculpture, j'ai toujours trouvé quelque chose d'âpre qui déconcerte ma nature tendre. Le pinceau est comme l'extension naturelle de la main, qui vient du cœur et retourne à lui; au ciseau, au poinçon, je reconnais la force brutale, l'art de détruire pour mieux (hélas! pas toujours) rendre l'esprit et l'image qui sont en soi, mais quel courage n'y faut-il pas? Chaque fois que je me trouve devant le marbre, ou la pierre, ou le bois qui est aussi tendre que moi, en main ciseau ou marteau, que je regarde cette matière précieuse dans son quadrillage, j'hésite, je me dis: Comment, moi encore, encore une fois, à m'attaquer aux éléments pour les réduire à mon expression propre? Je sais que d'autres viendront, qui ne craindront pas de se reproduire dans chacun des éléments, dominant l'eau et le feu. Moi, je suis de ceux qui craignent la matière vivante et lorsque je m'attaque aux stries du marbre ou du bois, c'est le Créateur lui-même qui tremble sous ma main. On me dit que les Juifs interdisent les images, que Dieu leur reste une énigme.

Et lorsque Dieu s'est fait homme pour eux, ils l'ont rejeté. Voilà la logique des hommes qui se croient supérieurs aux lois divines et humaines.

Avant sa mort (je ne le regretterai jamais assez), Maître Enguerrand avait accepté cette commande. Un Christ qui pût retenir l'attention des pèlerins. La Fabrique voulait innover, donnait dans la nouvelle dévotion. Un Christ en croix! Maître Enguerrand se rebiffa devant un pareil projet. Il voulait bien rendre au Christ toute la majesté de sa gloire. Comment faire de lui un Dieu souffrant? Quel modèle trouver? Certains membres de la Fabrique eurent l'audace de se présenter à lui. Il en rit, mais avec douleur, comme d'un sacrilège. On le pressa. Il se réfugia dans la difficulté de la tâche, seul avec son assistant. Et puis, il mourut et peut-être poussa-t-il en mourant un dernier soupir de soulagement, de n'avoir pas à mener à bien cette tâche absurde. Je me retrouvai son remplaçant, moi indigne, avec des ordres stricts d'achever l'œuvre entreprise. C'était se moquer de moi, puisque Maître Enguerrand avait même refusé de penser à ce projet. Je protestai, j'étais seul, qu'on me donne au moins un compagnon. La Fabrique refusa de m'entendre. C'était de la persécution. On me fixa une date. Malgré moi, je fis quelques esquisses. Elles ne plurent ni ne déplurent. De toute évidence, la Fabrique voulait me juger sur pièce — et cette pièce serait Dieu!

Combien d'heures n'ai-je pas passées à genoux dans notre église. Je mêlai mes prières à celles des innombrables pèlerins qui s'étaient, eux aussi, au cours des ans, agenouillés sur ces pierres si froides. Je pleurai, j'implorai Notre Dame. Saint Julien, ne parlons pas de lui, il est notoirement inefficace. Le temps passait. Des fabriciens vinrent aux nouvelles; le président du conseil de la Fabrique suivit de près, courroucé. Mais là où Maître Enguerrand avait failli, que pouvaient-ils attendre de moi? Je compris qu'il y avait, en arrière-plan, une donatrice. L'argent, toujours l'argent! Excédé, je fis des promesses fermes. Le président s'adoucit:

— Maître Loret, lorsque vous aurez terminé ce Christ, vous aurez votre jeune compagnon.

Telle est la vanité de l'homme, ce «Maître» me décida à agir.

L'ennui est que je ne savais par où commencer. Je préparai la Croix. Mon Dieu, comme j'hésite à écrire ceci, à parler ainsi de Vous dans votre humanité souffrante. Le bois attendait un corps. Je pris le mien propre, dessinai les esquisses à partir de mes membres, si fins, où seuls les bras ont de l'importance. La souffrance que j'éprouvais de la mort de mon Maître (je resterai inconsolable, je le sais), les circonstances présentes, si étranges et douloureuses pour quiconque a la foi, semblaient avoir affiné mon corps. À contre-jour, devant un verre dépoli, j'accumulai les esquisses, que je ne montrai à personne. À partir d'elles, la statue prit forme, ce corps de supplicié qui était le mien. La nuit, je me levais pour le regarder dans l'ombre; au matin, je soulevais le linge qui le recouvrait afin de l'admirer aux premiers rayons du jour. J'emploie le mot «admirer». Hélas! c'est bien de cela qu'il s'agit. J'avais appris à connaître mon corps et j'en étais épris. Je souriais dans ma barbe. En moi, Maître Enguerrand avait résolu le problème qui l'avait mené au tombeau. Le crucifié serait glorieux! Sur la Croix, Dieu avait transcendé son humanité, il était mort en gloire, comme il se devait. La vérité n'apparaît pas toujours aux plus grands et aux plus sages, mais aux humbles.

Il me restait la Face!

De la mienne, pas question. Je dois à la vérité (puisqu'il s'agit d'elle) de dire que j'y ai songé. Vite, je suis revenu à une conception plus juste de ce que je suis. Au crayon, j'ai fait, de mémoire, les portraits de plusieurs de mes connaissances; marchands drapiers, maçons, des hommes encore jeunes, de Brioude. Aucun d'entre eux n'avait cette tête où la majesté du pouvoir s'allie à celle de la souffrance. Le temps passa. Le président de la Fabrique revint, accompagné d'une personne lourde et voilée. Je compris qu'elle était la donatrice. Je leur montrai mon crucifié sans tête. Pour la première fois, d'autres regards que les miens se posaient sur ce corps nu, le mien. La donatrice s'exclama, s'agenouilla et pria. De sa poche, elle sortit un mouchoir, dont elle recouvrit la tête sans visage.

Elle me donna sa main à baiser. Parfois, je crois que c'est Notre Dame elle-même qui, voilée, ayant revêtu cette forme inconnue, est venue jusqu'à moi. J'en suis d'autant plus persuadé que, lorsque je parlai au président de sa visite, de cette dame si imposante qui l'accompagnait, il nia tout et me regarda d'un drôle d'air. Depuis, il m'évite, comme s'il me craignait.

Le lendemain, je trouvai la Face.

De bon matin, je sortis de Brioude, sans savoir où j'allais. La Face m'avait quitté, je ne pensais à rien qu'à suivre la route en lacets qui menait à la léproserie de La Bajasse. Sans le savoir, je priais. Dans moins d'une semaine, je devais remettre mon Christ à la Fabrique. Quelle épreuve! Le dévoilement serait l'arbitre de mon destin. Loret Lembron, me disais-je, courage. Je ne pensais à rien, mais chacun de mes pas était une prière. Dans la montée, au croisement qui mène à Massiac, un groupe de petits bergers dévalait la pente en criant: «Les voilà! Les voilà!» En effet, à l'instant même, j'entendis le bruit sourd des crécelles, comme un roulement de tonnerre dans la montagne. Je m'éloignai et me tapis derrière un buisson d'aubépines, afin de laisser passer nos frères ladres. C'est une curiosité de ma vie que je n'ai jamais craint les lépreux, ni ne les ai méprisés. J'invoque Notre Dame, qui me protège, je le sais. Le bruit des crécelles cessa tout à coup et j'entendis monter, au loin, à peine audible, la plainte d'une vielle de mauvaise qualité, qui accompagnait une voix d'enfant. Un garçon parut, sautant et chantant, à la crinière dorée flamboyante, aux yeux rieurs. Il chantait en un patois de moi inconnu. À cent pas derrière lui, parut la troupe informe des malheureux, en haillons, dont certains se traînaient, que leurs camarades soutenaient. Quel contraste entre la joyeuse chanson de l'enfant et ces êtres hagards, en quête de soupe et de gîte! Je redressai la tête. L'enfant me vit et m'adressa la parole:

— Ne craignez rien, me dit-il, je vis avec eux, je suis fils de lépreux, sans l'être moi-même. Croyez-vous qu'il y aura place pour nous à La Bajasse?

Sa chemise bouffante, sa chevelure, la perfection de son attitude, vielle au bras, firent que mon cœur fondit, alla vers lui.

— Enfant, comment t'appelles-tu?

— On me nomme Salomon le Magnifique.

Aujourd'hui que ce nom fait partie de mon quotidien, je souris devant tant de naïveté. Ce jour-là, je ne pus résister à la tentation de m'approcher de lui. Il recula.

— Mais tu n'es pas lépreux, Salomon.

Il fit signe que non et, du même mouvement de la tête, me montra les lépreux qui approchaient et qui, nous entendant parler, s'étaient immobilisés.

L'un d'entre eux héla Salomon, qui les rejoignit. Ils passèrent devant moi, recroquevillé derrière mon buisson. Lorsque les derniers parurent, je pensai à continuer ma route, me levai, la tête encore pleine de l'enfant. C'est alors que je vis la Face.

Est-ce un blasphème? Je ne crois pas que le Christ ait été beau selon nos normes. Beau dans l'ordre du divin et de la préternature, certes. Les Évangiles ne parlent jamais de la beauté de cet homme, mais de l'efficace de ses miracles et de sa parole. De l'intérieur lui venait son pouvoir, de l'âme, son emprise, du regard, la possession de l'univers. Ses traits, son corps, n'étaient que l'enveloppe qui permettait à l'unité de se parfaire en lui. Je compris, voyant cet homme, ni plus grand ni plus petit que les autres lépreux, ni plus ni moins malade qu'eux —

et pourtant le bas de son visage m'était caché par un mouchoir qui lui donnait un peu l'air d'un bandit de grand chemin — que le miracle qui s'était opéré dans le Christ, en cet homme aussi trouvait sa béatifique source. Laquelle? Je courus derrière eux, rejoignis Salomon.

— Qui est-ce? demandai-je? Il n'hésita pas une seconde.

— Rimaillou, dit-il. Il ajouta, à voix presque basse: Maître François.

Tout ceci en courant presque, car la troupe, intriguée par notre conciliabule, hâtait le pas.

— J'ai un message à faire passer à Maître François.

— Lequel?

Je lui parlai du Christ. Cet enfant comprenait tout, mon instinct ne m'avait pas menti. Je m'épanchai même un peu, marchant trop vite, à bout de souffle. Un compagnon? Il s'arrêta net, plongea son regard dans le mien et me dit, d'un ton qui me secoua: «Ce sera moi.» Il accepta de parler à Maître François. Nous nous retrouverions le lendemain.

J'attendis, de bon matin, comme il avait été entendu, près de mon bosquet d'aubépines, sur la route et ne bougeai pas lorsque je vis se profiler la silhouette de Maître François et celle, déjà si chère, de Salomon. Ils s'arrêtèrent, Maître François à cent pas, Salomon à vingt, de moi. Maître François acceptait de poser, à deux conditions: qu'on lui trouve une retraite à La Bajasse, soit dans la ladrerie même, soit dans un ermitage dans la montagne; que Salomon, dûment soumis à l'examen d'un barbier, soit autorisé à quitter la troupe des lépreux et devienne mon compagnon. Bien sûr, j'acquiesçai et leur promis de faire part de ces deux conditions à la Fabrique. Ils viendraient chaque jour aux nouvelles, à ce même endroit, à la même heure.

À la Fabrique, le cas de Maître François ne posa aucun problème. Il y avait, dans les environs, de nombreux ermitages abandonnés. La châtellenie remettrait l'un d'eux en usage pour Maître François qui, après les bénédictions d'usage, prendrait le nom de frère Julien. Le président me regarda par en dessous, sourit, de son sourire en coin, impénétrable, et ajouta:

— Mais à qui reviendra le soin de sustenter frère Julien? Aucun berger ne le voudra; ni aucune de nos gens, qui ne s'aventureront jamais dans ces coins perdus de la montagne.

Un piège m'était tendu. Ces bourgeois, échevins et marguilliers sont tous les mêmes, toujours le poing durement serré sur l'escarcelle. Je compris qu'on voulait me confier le soin, sur mes maigres ressources, de nourrir frère Julien (inutile d'ajouter que pour Salomon et moi, il est, jusqu'à sa mort, resté Maître François), d'être son tuteur auprès d'eux. Notre Dame m'inspira.

—Je le prendrais volontiers en charge, dis-je; mais je ne pourrai, chaque semaine, me rendre jusqu'à l'ermitage. Si, comme me l'a promis le président de la Fabrique, j'avais un compagnon bien à moi, qui pût me rendre ce service et, surtout, qui ne craignît pas l'approche des lépreux...

Un membre de la Fabrique éclata de rire.

— Si je comprends bien, notre ami Maître Loret pousse la candidature du jeune Salomon...

À ma droite, dans un magnifique cache-pot que nous avait offert saint Louis, au cours de l'un de ses pèlerinages à Brioude, poussait un chèvrefeuille qui s'élevait jusqu'à une statuette de Notre Dame, la Dame replète. Voilée, la Vierge était, en effet, rondelette. La plante, si gracieuse, entourait la Vierge. Jamais, de mémoire d'homme, elle n'avait fleuri. Pendant que les marguilliers s'esclaffaient («Un Christ des lépreux! L'Ermitage! Salomon le Magnifique — ici les rires redoublaient — il en a de bien bonnes, Maître Loret!»), je tournai les yeux vers Notre Dame et, du fond de mon cœur d'homme condamné à la solitude, l'implorai.

Fut-ce un miracle? On le dit. Je me levai, le plus lentement que je pus, m'approchai de la Vierge et, debout à côté du chèvrefeuille, montrai du doigt, près de la niche, une fleur blanche qui venait d'apparaître et qui, sous les yeux des échevins effarés, morts de peur, s'ouvrait. D'un bloc, ils s'agenouillèrent. Moi aussi, je me prosternai. Mon cœur chantait sa reconnaissance. Notre Dame guiderait ma main. Mon Christ vivrait, dans la plénitude de sa douleur, pour les siècles des siècles. J'avais un fils, moi aussi. Le cœur de la Mère battait à l'unisson du mien. Je mis le front contre terre. Un poète ancien avait chanté la Vierge: *Empérière des infernaux palus.* Ce vers me revint à l'esprit. Elle avait écrasé le Malin, vaincu la Fabrique. Maître François Rimaillou, dans son ermitage, ne s'appelerait pas frère Julien, mais frère Julien-Marie.

Certains prétendent que mon Christ me ressemble. Lorsqu'on le vit pour la première fois, dressé contre le mur, on entendit même des protestations. Un Christ des lépreux! Ce visage tordu par la souffrance, ces traits d'épouvante, ces marques violacées, la mort présente en ce corps tordu! Pourquoi? Je pris très tôt la résolution de me taire. Bien m'en prit. L'arrivée de Salomon dans mon modeste établissement m'occupa pendant plusieurs semaines. Je lui enseignai les rudiments du métier, afin qu'il puisse terminer son apprentissage au Puy. On s'habitue à tout, me disais-je, on s'habituera bien à mon Christ. Les fabriciens, témoins du miracle du chèvrefeuille, soutinrent ma cause, par crainte de la Vierge. Mais ce qui fit toute la réputation de mon Christ, c'est qu'au bout de quatre ou cinq ans on constata que le nombre des lépreux allait diminuant et que les familles qui avaient une dévotion particulière au Christ de Brioude étaient épargnées. Pour ma part, j'implorai le Christ en sa bonté, pour qu'il guérisse Maître Julien-Marie. Il n'en fut rien. Salomon prétend que le frère, dans son humilité, dans sa sagesse ne souhaitait pas revenir parmi les humains. Il vécut environ dix ans dans son ermitage, au milieu de nos volcans. Un jour, il ne répondit pas à l'appel de Salomon. Il était mort.

TABLE

Achevé d'imprimer
en octobre 1990 sur les presses
des Ateliers Graphiques Marc Veilleux Inc.
Cap-Saint-Ignace, Qué.